テレビが伝えない
国際ニュースの真相

バイオ・サイバー戦争と米英の逆襲

茂木 誠

はじめに

２０２０年の世界は、半世紀に一度という大どんでん返しの時代を迎えました。

私たちの身近にせまる新型コロナウイルスＣＯＶＩＤ－19の恐怖。急に始まったかに見える米中の激突、なぜかめったに肉声を伝えなくなった隣国の独裁者、中東で続くテロ事件や暗殺事件、史上最長記録を更新していた安倍内閣の突然の退陣、直前になってもまったく予想がつかないアメリカ大統領選挙の行方……。

世界が崩れていく――そんな不安とワクワク感を感じるのは本当に久しぶりです。まだ学生だった30数年前、今と同じような感覚を私は抱いていました。

前回の歴史的大転換は１９８０年代前後に起こりました。アメリカのカーター民主党政権に世界を指導する力がなかったため、これを甘く見た反米勢力が、一気に攻勢に出ました。中東では、１９７９年のイラン革命で親米政権が崩壊し、イスラム過激派勢力が各国で台頭しました。同年、ソ連（共産主義ロシア）がアフガニスタンに侵攻し、インド洋方面への進出を図りました。

これに対する反作用として、1980年のアメリカ大統領選挙では現職のカーターが敗北し、「強いアメリカ」を掲げる共和党のレーガンが当選しました。

軍事予算を大幅に増強したレーガンに対し、マスメディアは「危険なタカ派大統領」と警戒しました。しかしレーガン政権8年間が成しとげたことは、まさに歴史的快挙でした。米国との戦争を恐れたソ連では改革派のゴルバチョフ政権が発足し、国内では市場経済化と言論の自由化を進め、アメリカとの初の核ミサイル削減条約に調印しました。この流れはソ連と東欧諸国の共産党独裁体制を根本から揺るがし、レーガン退任後になりますが、1989年の冷戦終結宣言、東欧諸国の自由化とドイツ統一、これらの流れに逆行する天安門事件、そしてソ連崩壊……と続いたのです。

日本国内では、自民党・日本社会党の55年体制が崩壊し、非自民連立の細川政権が発足しました。しかし、レーガンやゴルバチョフ、鄧小平やサッチャーのような、世界の大勢を見通し、世界史に名を残すような決断のできる政治家が残念ながらひとりも現れず、内閣ができては倒れ、できては倒れ、短命政権が続いた結果、日本は「失われた20

てはなりません。

年」と呼ばれる長いトンネルに入ってしまったのです。前回の失敗を、二度と繰り返し

世界全体の大きな流れを見通す「世界観」、歴史の流れを見通す「歴史観」を持たなければ、いつまで経っても目先の現実に振り回され、右往左往し、時間を無駄に過ごすことになるのです。世界のニュースを伝えるマスメディアの方々は、いくら語学に堪能であっても、この世界観・歴史観をお持ちでなければ、本質的なニュースと、どうでもよいニュースとの区別ができません。

ネットに膨大な情報があふれているいまこそ、情報の受け手であり、発信者ともなりうる私たち一人ひとりが、情報リテラシーを高める必要があります。本書がその一助になれば、幸いです。

第2章 米中サイバー戦争と東アジアの危機

第3章　超大国アメリカの大転換、大統領選の行方

第4章 EU大解体とイギリスの復活

第5章 中東にくすぶる世界大戦の火種

第1章

中国　覇権国家の野望とコロナ戦争

Q 武漢からCOVID‐19が広まったのはなぜか？

2020年1月、中国の湖北省の武漢市で新型のコロナウイルス（COVID‐19）が流行し、たった数カ月で世界中に感染が広がりました。

習近平政権は、「世界に先駆けてCOVID‐19の封じ込めに成功した」と宣伝していますが、感染拡大の初期段階では、まったく封じ込めなどできていませんでした。

2020年1月23日、武漢市は都市封鎖（ロックダウン）を敢行し、人々の往来をストップしましたが、そのときにはすでに、武漢市の人口約1000万人のうち、約500万人が武漢から出て行ったあとでした。最初から封じ込めに失敗していたのです。

武漢は工業都市なので、農村から出稼ぎに来ていた住民も多くいました。こうした出稼ぎの労働者を「農民工」といいますが、彼らは春節（旧正月）を前に故郷に帰れなくなったら困るので、都市封鎖が実施される前に武漢から逃げだしたのです。農民工が中国の各地にどんどん脱出することで、他の都市でも感染が広がり、世界の国々へと飛び火しました。

万事が根回し、話し合いの日本では、安倍政権が何か決断をするたびに野党から批判され、逆に決断に慎重になれば、今度は「早く決断しろ」と非難の声があがります。

しかし、中国は共産党の一党独裁なので、決断が速く、本来封じ込めもしやすいはずです。迅速な対応をとれたはずですが、習近平はＣＯＶＩＤ－19について甘く見ていたか、何か隠したいことがあったのではないでしょうか。中国共産党政権、そのトップである習近平の判断の遅れが、世界的なパンデミックを引き起こしたといっても過言ではありません。

Q なぜCOVID－19の封じ込めに失敗したのか？

習近平の判断が遅れたのは、個人の決断力だけの問題ではありません。おそらく彼の側近にも原因があります。

２０１８年、中国共産党は国家主席の「２期10年」までとする任期を撤廃する憲法改正を実施しました。２期目が終わる２０２３年以降も、習近平が国家主席として超長期政権を築くことが可能になったのです。これは、習近平が事実上の〃終身国家主席〃になったことを意味しています。

中国が初期段階でＣＯＶＩＤ－19の封じ込めに失敗したのは、習近平１人に権力を集めすぎた結果ともいえます。習近平のご機嫌取りや忖度ばかりしている側近たちが、都合の悪い情報を耳に入れないようにしていたと想像されるからです。

こうした状況は、ソ連の政権末期にも起こりました。１９８６年にチェルノブイリで史上最悪の原発事故が起こったとき、当時のゴルバチョフ書記長に情報が届かず、政権の対応が後手後手にまわってしまい、欧州全域に被曝を拡大させてしまいました。ゴルバチョフは「情報公開（グラスノスチ）」を決断しましたが、時すでに遅く、１９９１年にソ連は崩壊する結果となったのです。

トップに権力が集中している組織では、自分から失敗や問題を報告すると上から睨まれてしまうため、「とりあえず黙っておこう」という保身の心理が働きます。だから本当に重要な情報がトップに伝わらないのです。歴史的にいっても、強権的な独裁体制は盤石に見えて、実は脆いのです。

２０１９年12月には、すでに現地の医者が異変に気づいていました。12月30日、武漢市の眼科医・李文亮はチャットグループの同僚医師たちに、「ＳＡＲＳ（重症急性呼吸器症候群）によく似た症状の患者がいる。感染症によるアウトブレイクが起きている可能性があるので、防護服を着用して感染を防いだほうがいい」と警告しました。12月の時点で医療の現場では、何らかの異変が起きていることに気づいていたのです。

ところが1月3日、李医師は武漢市公安局に呼び出され、「インターネット上で虚偽の内容を掲載した」として訓戒処分を下されました。勝手に都合の悪い情報を流すな、というわけです。李文亮が警告した段階で、もし当局がすぐに手を打っていれば感染の拡大は防げたかもしれません。

結局、処分後も治療にあたっていた李文亮は、本人もCOVID－19に感染し、2月6日に亡くなってしまいました。過労もこたえたのでしょう。後日、中国政府は、新型肺炎の抑制に「模範的な役割」を果たしたとして李文亮を表彰していますが、「あとの祭り」とはこのことです。

Q COVID－19の発生源は武漢の研究所なのか？

COVID－19の発生源は、当初から武漢にある市場だとされてきました。ところが、アメリカで感染が急拡大する最中、トランプ大統領が「武漢の研究所が発生源」という主張を繰り返したことで、中国に疑惑の目が向けられました。

2008年のノーベル医学生物理学賞を受賞したフランスの医学者ルック・モンタニ

エ氏は、2020年4月、ネットサイトPourquoi docteurで次のように発言しました。

「このウイルスは、武漢の研究室で作られたものだ。この研究室は2000年代以降、コロナウイルスに関して専門化した」

さらに、フランスCNewsの番組で、モンタニエ氏はこう続けました。

「このウイルスは、自然なルートで発生したものではない。これは、完全に専門的な仕事だ。ウイルスが何の目的で作られたのかは知らないが……」

「COVID－19にはエイズ（HIV）ウイルスの一部が組み込まれている可能性があり、武漢ではエイズワクチンの開発がされていたのかもしれない」

もちろん、中国政府はこれらの説を真っ向から否定しています。

じつは、2002年に発生したSARSについてもこんな説がささやかれています。

「SARSは、北京のウイルス研究所から漏れ出た――」

中国の広東省を起源とし、世界的に猛威を振るった新型肺炎SARSも、今回と同様にコロナウイルスが原因でした。

当時の胡錦濤政権も、SARSの発生をひた隠しにしていました。2002年11月に流行していたにもかかわらず、実態を公表したのは翌年4月だったのです。「SARS

の感染が拡大した原因は中国政府の隠ぺいにある」と世界各国から批判の声があがりました。ＳＡＲＳの発生源が研究所だという説が正しいとすると、どういうことが考えられるでしょうか。

武漢には、１９５６年に中国政府がつくった「中国科学院武漢ウイルス研究所」があり、この施設ではＳＡＲＳの研究が行われていたという事実があります。

「中国が意図的にウイルスをばらまいた」という説も一部にはありましたが、本当に生物兵器として使うのであれば、自分たちが感染しないようにワクチンを一緒に開発する必要があります。ところが、ＣＯＶＩＤ－19では、実際に中国の医者や軍人、共産党員がバタバタと感染しています。こうした状況をみれば、生物兵器として意図的にウイルスをばらまいたという説には、合理性がありません。

武漢のウイルス研究所は、国際基準で危険度が最も高い病原体を扱える「バイオセーフティーレベル（ＢＳＬ）４」に位置付けられています。実験室は非常に気密性が高く、エボラ出血熱やＳＡＲＳなどの危険性の高いウイルスを扱っても、空気が外に漏れない設計になっているはずです。

２０２０年４月14日、米ワシントン・ポスト紙は以下のような報道をしました。

「2年前の2018年、米大使館員が武漢ウイルス研究所を視察した結果を国務省に報告、同研究所ではコウモリを使ったコロナウイルスの実験を行っているが、安全管理に重大な懸念がある。同研究所員は人員不足で対応できないと説明している」

武漢のウイルス研究所では、当然、動物実験も行われていました。実験でウイルスを感染させた動物は、実験終了後に適切な処理をしなければなりません。

ウイルス研究所から武漢の市場までは32キロメートルも離れていますが、市場から280メートルの距離には、武漢市疾病予防管理センター（WHCDC）があり、ここでも生体実験が行われていました。何らかの経緯でこれらの研究所で使われた実験動物が、十分な消毒をされずに廃棄され、ウイルスが漏洩した、というのは状況的にはあり得る話です。

英国の科学雑誌『ネイチャー』によれば、武漢発のCOVID-19と、野生のコウモリが運ぶZC45ウイルスとのゲノム配列は96％一致します。武漢周辺ではコウモリを食べる習慣はなく、市場でも取引されていませんでした。コウモリは医学用の検体として武漢の研究所に運び込まれていたのです。

2017年と2019年には、実験中にコウモリが暴れてその血を浴びた研究者が、

14日間の自己隔離を行った、という記録があります。

この事実を暴露した広州市・華南理工大学の肖波濤（シャオ・ボタオ）教授は、その後消息を絶ち、発表した論文は検索できなくなりました（時任兼作『失踪した中国人研究者の「消されたコロナ論文」衝撃の全訳を公開する』現代ビジネス2020.03.25）。

本来あってはならない実験室の事故が複数回起きているということは、運用・管理が緩く、ずさんだった可能性もあります。廃棄されるべき実験動物は、きちんと処理されていたのでしょうか。

２０２０年1月26日には、人民解放軍の陳薇（チェン・ウェイ）という生物兵器担当の女性少将が、武漢のウイルス研究所を接収してしまいました。中国政府が証拠隠滅を図ったという憶測も流れています。アメリカをはじめ国際社会は、ウイルス研究所の現地調査を求めていますが、当然のごとく中国は拒否しています。

研究所発生説の真偽はさておき、中国はＳＡＲＳの経験を、今回のＣＯＶＩＤ－19対策に活かしきれなかったのは事実です。もっと早く正確な情報を開示し対応していれば、ウイルスを早期に封じ込め、これほどの犠牲者を出さずに済んだかもしれません。

Q
なぜWHO（世界保健機関）は非難されるのか？

WHO（世界保健機関）は1948年、すべての人々の健康保護のため、各国が協力する目的で設立された国際機関です。194の国と地域が加盟し、職員数は7000人を超えています。しかし、COVID－19によるパンデミックが深刻度を増すにつれて、WHOへの非難の声が世界中で強まっていきました。

とくに事務局長のテドロスの責任を問う声は日増しに高まっています。2020年7月、トランプ政権は米国がWHOから脱退する、と正式に通告しました。なぜここまでWHOは批判されているのでしょうか。

2002年のSARS禍で苦い経験をした中国政府は、国際的な非難を二度と受けないように、「ある戦略」を実行に移しました。その「戦略」というのがいかにも中国らしいのですが、WHOを中国政府の影響下におくというものです。

中国政府は考えました。WHOのトップ（事務局長）に中国の息のかかった人物を据えれば、ヒトもモノもカネも情報もコントロールできると。要するに、中国バッシングを避けるための戦略です。

ＳＡＲＳ禍のあと２００７年に事務局長に就任したのが、香港出身のマーガレット・チャン（陳馮富珍）です。中国の強力なバックアップの下、彼女が事務局長に就くと、情報を含めたコントロールがうまくきくようになり、中国はＷＨＯの中で存在感を増していきました。一方で、中国とは敵対関係にある台湾をＷＨＯから追放したのが彼女でした。そして２０１７年、マーガレット・チャンの任期終了後、白羽の矢が立ったのが、エチオピア出身のテドロスです。

東アフリカにあるエチオピアで、感染症の専門家として２００５年から保健大臣、２０１２年からは外務大臣を歴任し、実績を積んだ人物です。

エチオピアは、現存する世界最古の独立国のひとつという歴史をもっていますが、冷戦期には親ソ社会主義政権のもと、長年にわたる民族対立や飢饉が続き、ソ連崩壊で、国家自体が破綻しかけた国です。そこに手を差し伸べたのが、広域経済圏「一帯一路」の構想を推し進める中国でした。

中国はエチオピアの高速道路や発電所、鉄道、工場などに莫大な投資をしています。エチオピアは、一帯一路のモデル国家に位置づけられ、「アフリカの中国」とも呼ばれるほど、両国の関係は深まっています。

なお、エチオピアの債務額は、なんとGDP（国内総生産）の約60％。そのほとんどが中国からの投資とされています。完全に中国依存体質が出来上がっているのです。

その中国にとって都合のよい人物として担ぎ出されたのが、エチオピアのテドロスでした。テドロスは、ズブズブの関係になっている中国にたてつくことはできませんから、「中国に雇われたWHO事務局長」といっても過言ではありません。

中国から感染が拡大したにもかかわらず、テドロス事務局長は中国の感染対策を称賛するコメントを出し続ける一方で、早期に感染拡大を封じ込めた台湾については黙殺を続けました。つまりテドロスは、感染症の専門家としてではなく、中国政府の広告塔として発言をしてきたのです。

感染拡大を食い止めることが国際機関であるWHOの役割であるにもかかわらず、中国の言いなりになり、対応が後手後手に回っている……。WHOが国際社会から非難を浴びるのも当然でしょう。

Q 中国が国連機関で影響力を拡大できる理由

ＷＨＯにかぎらず、中国は国連のさまざまな機関に影響力を及ぼしています。人事面では、国連食糧農業機関（ＦＡＯ）、国際電気通信連合（ＩＴＵ）、国際民間航空機関（ＩＣＡＯ）、国連工業開発機関（ＵＮＩＤＯ）は、中国人がトップを務めています（２０２０年現在）。

いわゆる大国ではなく、発展途上国の人物が国連の専門機関のトップになることは好ましいこと、というイメージがあるかもしれません。しかしこれは逆なのです。大国の影響下にある途上国出身の代表が、パトロンである大国の意を体して行動している、というのが国際機関の現状なのです。

中国が国連機関で影響力を拡大できているのは、アフリカ諸国の支持を集めているからです。国連では、大国も小国も1票を行使できます。現在、アフリカには約50の独立国があり、それぞれ1票をもっているため国連総会では一定の力をもっています。つまり大国にとって、アフリカに投資することは〝コスパがいい〟のです。

中国はエチオピアだけでなく、アフリカの各地で投資を行っています。アフリカには独裁政権が多いため、その独裁者を買収して手なずけることができれば扱いやすい、という傾向もあります。

民主主義国家だと反中国の感情が国民の間でわき起これば、中国も身動きがとれません。その点、独裁政権であれば、トップがYESといえば、その国にぐいぐい食い込むことができます。中国側からすれば、独裁者だけを口説けばいいので、工作資金もリーズナブルです。

歴史的にいえば、アフリカの人々は欧米に反発する感情を抱いています。かつてアフリカ大陸の多くが欧米各国の植民地だった歴史があるからです。

独立運動の末、17カ国が植民地からの独立を達成したのは1960年のこと。この年は「アフリカの年」と呼ばれています。

こうしたアフリカ諸国の独立運動を積極的に支援していたのが、「アフリカにも共産主義圏を広げたい」という野望を抱いていたソ連です。ソ連のサポートもあり、独立後はそのままソ連型の社会主義を採用する国が相次ぎました。ちなみに、エチオピアも冷戦期は親ソ政権でした。

しかし、米ソ冷戦が終わり、ソ連が崩壊すると、金の切れ目は縁の切れ目で、アフリカにおけるロシアの影響力は急激に低下。その間隙を縫って入ったきたのが中国でした。

そういう意味では、中国資本の進出がめざましい中南米諸国も同じです。歴史的に反米感情が強く、貧困に苦しむ中南米諸国はチャイナマネーに群がりました。近年、国連で中国の影響力が高まっているのは、これらの途上国にお金をばらまいている成果といえます。

中国は、アフリカや南米に飽き足らず、ヨーロッパなど他の地域にも触手を伸ばしています。ターゲットはやはり、財政や経済の面で困っている国々です。

最近では、財政危機にあるギリシアとイタリアを手なずけています。ギリシアとイタリアは中国の「一帯一路」の推進に参加し、すでにズブズブの関係にあります。

イタリアの場合、アパレルが主要産業のひとつですが、北イタリアではアパレル工場で働く中国人がたくさんいて、チャイナタウンもできています。いまやイタリアのブランドを縁の下で支えているのは中国人なのです。北イタリアからヨーロッパにCOVID－19が爆発的に広がっていったのは、中国人の往来が多かったからでしょう。

早い段階で感染が拡大したイランについても、アメリカによる経済制裁が続く中、中国の一帯一路構想に活路を求めたことが関係しているのは想像に難くありません。

こうして国連における中国の影響力拡大に対し、アメリカは猛反発しています。このような中国べったりの国際機関に、米国民の税金を使わせない、というわけです。米国内では拍手喝采でしょうが、脱退してしまえばますます中国の影響力が強まる結果になる。中国は、ほくそ笑んでいるでしょう。

Q COVID－19が習近平政権に与える影響とは？

世界各地にCOVID－19感染が急拡大していった2020年4月、中国は武漢市の封鎖を解除し、世界に先駆けて経済活動を再開しました。

また、「中国はCOVID－19を克服した」として、他国の防疫を支援する取り組みも始めました。感染が急増する国々にマスクや人工呼吸器を送っています。こうした中国の対外活動は「マスク外交」と呼ばれています。

習近平は、「感染症との闘いで勝利した」ことをしきりにアピールしていますが、その強気な姿勢は習近平の焦りのあらわれと見ることもできます。

というのも、中国発のウイルスの拡大を防げず、世界をパンデミックの混乱状態に引き込んだのは、習近平の大失態だからです。

２０１９年に香港で発生した民主化デモ（52ページで詳述）で、習近平政権に対する反発が強まっていたところに、輪をかける形で中国発のパンデミックが起きてしまった。ですから、習近平は「泣きっ面に蜂」の状態です。これまで権力を集中させ、盤石のように見えていた中国国内でも、いつ習近平を権力の座から引きずりおろそうという動きが出てきてもおかしくありません。

もともと中国共産党のすべての党員が、習近平を支持しているわけではありません。習近平は、共産党のトップに昇り詰めるまでに、数多くのライバルを蹴落としてきました。さらに就任後も汚職摘発という名目でライバルたちを次々と失脚させて、恨みを買っています。「習近平、くたばれ……」と不満を抱える共産党員は数多くいるのです。

習近平は「コロナに勝利した」と胸を張っていますが、流行初期に武漢対策でリーダーシップをとったのは、首相の李克強です。李克強は習近平の前の国家主席である胡錦濤とつながりの深い人物で、胡錦濤は李克強を後継者にしたかったといわれています。本来ならば、李克強が国家主席になってもおかしくなかったのですが、習近平はそれを押し退けてトップの座に就いたのです。

習近平は自分が責任を負いたくないから、自分のライバルでもある李克強を武漢対策のチームリーダーに据え、失敗すれば責任を負わせようとしました。当然、習近平のライバルたちは、こうした習近平の卑怯なやり方にも不満をもっていることでしょう。

実際、中国ではコロナ禍の影響で、2020年3月5日から開催されるはずだった全国人民代表大会（全人代）が延期になりました。全人代は国会のような位置づけですが、共産党があらかじめ決めた議事進行に従って承認するだけの〝しゃんしゃん総会〟です（36ページで詳述）。

5年に1度の全人代が開催されないということは、中国では大事件です。結局、同年5月に開催されましたが、全人代を延期せざるを得なかったのは、感染予防を理由にしていますが、共産党内の意思統一ができなかったことを意味します。

もしCOVID－19の第2波に襲われたり、経済が遅々として回復しなかったりすれば、共産党内部で習近平に対する反発がますます強まるでしょう。実際、2020年6月には北京の市場で大規模クラスターが発生、東北地方（旧満州）でも感染拡大が報告されるなど、ウイルス封じ込めの難しさに直面しています。

中国国内だけでなく、対外的にも習近平政権の勢いは削がれることになりそうです。

アメリカやヨーロッパ各国は自国の感染対策に追われていますが、コロナ禍が一段落すれば、アメリカが反転攻勢に出て、中国への圧力を強めることが予想されます。

そのとき、習近平はどう出るか。

しばらくはおとなしくしているかもしれませんが、逆に、これまで以上に強気な行動に走るシナリオも考えられます。歴史的に、権力基盤が弱っている政権は、国内の求心力を高めるために対外的に強気に出る可能性があるからです。

尖閣諸島を囲む日本の領海すれすれの中国海警局の武装警備艇の侵入は、すでに100日を超えました。米国防総省のシンクタンク、戦略予算評価センター（CSBA）が2020年5月19日に出したレポート「ドラゴン・アゲンスト・ザ・サン」では、中国海軍の実力が日本の海上自衛隊の能力を凌駕し、中国は尖閣諸島を4日で占領できる、と分析しています。もちろんこれは、米軍の介入がなければ、という前提ですが。

Q なぜ習近平政権は強権政治ができるのか？

習近平は自らに権力を集中させて、強権政治を推し進めています。そもそも、なぜ習近平は強権的な政治を行うことが可能なのでしょうか。

これを理解するには、中国の政治制度と中国共産党について知る必要があります。

中国の政治制度には「表」と「裏」の顔があります（図1参照）。

まずは表の顔から見ておきましょう。

中華人民共和国のトップに君臨しているのが「国家主席」。英語では「プレジデント」と訳しますから、大統領です。内閣に該当するのが「国務院」。そして、国会にあたるのが「全国人民代表大会（全人代）」です。

一見、権力が分立しているように思うかもしれませんが、じつは「国家主席」「国務院」「全人代」、これらすべての人事を決めているのは、中国共産党です。１９４９年に国民党政権との内戦に勝利して権力を握って以来、一度も国政選挙を行わず、独裁政党として人民を「指導」しているのが中国共産党です。

この共産党という組織こそ、中国政治の「裏」の顔です。

共産党のトップは「総書記」といい、党の人事権を握ります。ソ連共産党では「書記長」と呼んでいました。共産党員は総書記に睨まれると出世ができません。これが総書記の権力の源です。この総書記が、国家主席に横滑りすることが決まっています。したがって、中国人民は自らの手で国家主席を選べないのです。

総書記の下には、「政治局常務委員」という組織があります。

図１ 中国の政治制度

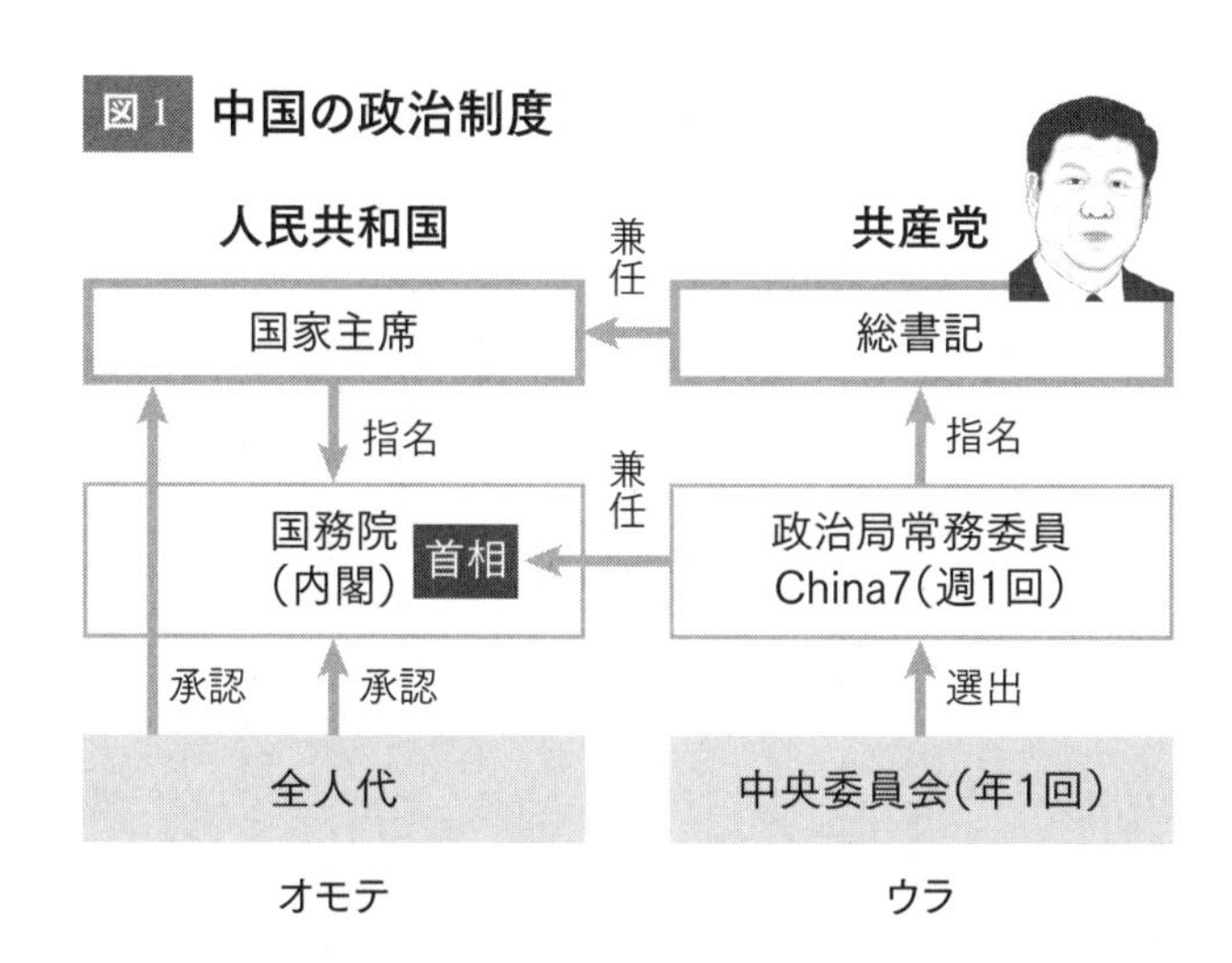

その下に、総書記を含めて７人の常務委員で構成されていて、通称「チャイナ・セブン（China Seven）」と呼ばれています。彼らが週１度集まって、中国の重要な政策をすべて決めています。

では、国務院は何をしているのかというと、実質的な権力はほとんどありません。名前だけの組織です。中国語で大臣のことを「部長」というのですが、国防部長も外務部長も決定権はありません。

実質的には、「政治局常務委員」が内閣の役割を果たしています。まさに「陰の内閣」です。

政治局常務委員の下には、「中央委員会」があります。共産党の全国代表大会（党大会）によって選出され、２００人ほどで構成されています。この中から政治局員や政治局常務委員、総書記が選出される仕組みになっています。

表向きは共産党の最高指導機関とされ、中央委員は全国から選出される仕組みにはなっていますが、党員の言動は厳しく監視され、党指導部に対する批判は許されません。上の決定には絶対服従。共産党はこれを「民主集中制」と呼びますが、要は共産党による「独裁」です。

全人代（全国人民代表大会）は「中国の国会」などと説明されますが、選挙はありません。全人代の代議士は共産党が指名します。独裁でないことをカムフラージュするため、形だけの「野党代議士」が存在し、反対投票をすることも許されていますが、圧倒的多数が共産党員であり、党が提出した法案、人事案はすべて承認されます。

このように、中国は共産党と人民共和国の2つの権力構造が存在します。しかし、共産党の総書記をトップとする政治局常務委員や中央委員会といった組織が実際の権力を握っているのです。

では、最強権力者である共産党の総書記は、どのように選ばれるのでしょうか。

これも選挙は行われませんから、簡単にいえば、共産党内の「派閥抗争」です。今、共産党には少なくとも3つの派閥があり、これらの派閥がお互いに足の引っ張り合いをしています。派閥抗争に勝った人物がトップである総書記に就くという仕組みになっているわけです。

この派閥抗争は、日本の自民党の派閥抗争とそっくりです。つまり、お金をばらまいて味方を増やし、政敵のスキャンダルを暴露する……こうしたやり方は非常にアジア的なので、日本人にも理解しやすいかもしれません。

こう書くと、「日本だって自民党の長期一党支配だ」「アベ独裁だ」と反論する人がいます。ちょっと待ってください。自民党は日本国民の選挙で第1党に選ばれているのです。中国人民は、一度も共産党に投票したことはありません。国政選挙自体が行われないからです。また日本では、国会前で「あべやめろ！」と叫んでも、誰も逮捕されません。天安門広場で「習近平やめろ！」と叫んだら、たちまち身柄を拘束されて行方不明になるでしょう。本当の「独裁」とは、そういうことです。

Q なぜ習近平はトップの座に就けたのか?

習近平は派閥抗争を制して、総書記の座を射止めたわけですが、じつは弱小派閥の出身です。にもかかわらず、総書記の座までのし上がることができたのは、なぜでしょうか。

中国にはもともと2つの大きな派閥があります。

ひとつは、「上海閥」です。習近平の2期前(1989~2002年)の総書記を務めた江沢民は、上海閥出身です。

上海は、1978年から鄧小平を中心に実施された「改革開放」という経済政策によって、著しい経済発展を遂げました。アメリカや日本、台湾などから流れ込んだ大量の外国資本が急成長の起爆剤となったのです。上海に立ち並ぶ高層ビル群はそのシンボルであり、上海閥の共産党員は外国資本とズブズブになり、金銭的な恩恵を受ける一方で、賄賂や汚職などの腐敗が深刻になっていきました。

もうひとつの派閥は、「共産主義青年団」(共青団)という若者たちの組織です。高校生や大学生を含む共産党の14歳から28歳までの若手エリートによって構成された組織

図2 中国共産党の派閥

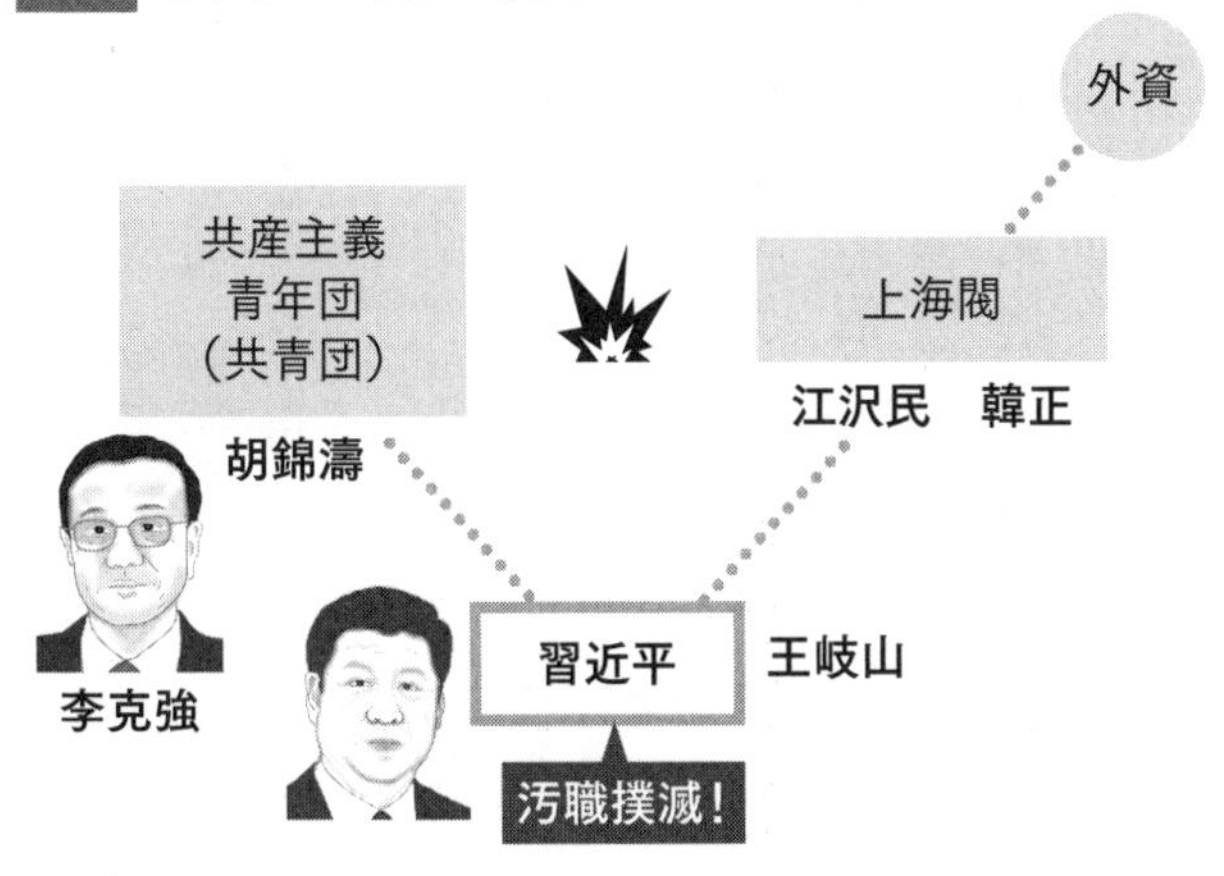

で、理想に燃える党員が多いのが特徴です。かつてのソ連共産党少年団「ピオネール」、ナチス党内の青少年教化組織「ヒトラーユーゲント」などと似た組織で、共産主義に身を捧げる真面目な若者たちが所属しています。この他、派閥ではありませんが、親が共産党幹部だった二世、三世の政治家（これも日本と同じ）がたくさんいて、「太子党」と呼ばれています。「太子」とは「皇太子」という意味です。習近平は太子党です。

鄧小平は党内融和のため、上海閥と共青団から交互に国家主席を出すというルールを決めました。江沢民（上海閥）→胡錦濤（共青団）→次は上海閥のはずでした。

ところが両派の対立がエスカレートし、胡錦濤の後継者選びが紛糾、そんな両派閥の間に割って入ったのが、どっちつかずの習近平でした。

習近平は当初、両派の長老たちに取り入り、ご機嫌をとっていました。長老たちの目には、人畜無害の存在に映ったのでしょう。「彼なら丸く収まる」と習近平に総書記の座を譲りました。

こうしてちゃっかり後釜に収まった習近平は豹変し、世話になった上海閥や共青団出身の大物たちを権力の中枢から追いやったのです。彼らは、飼い犬に手を噛まれたようなものです。

Q 習近平がライバルを蹴落とすために使った手段とは？

習近平は総書記の座に就いてからも、党内の敵対勢力を徹底的に排除していきました。ライバルを蹴落とす名目として使った手段が「汚職撲滅」です。

一党支配の中国では、何をするにも共産党の許認可が必要です。この許認可をもらうため、企業は党幹部に賄賂を送るのです。権力がカネに化ける国。共産党の幹部は、派閥を問わず叩けばほこりが出る者ばかりです。外国資本とつながっている上海閥の幹部はいうまでもありませんが、共青団も似たり寄ったりです。

胡錦濤政権時代に首相を務めた温家宝は、自然災害があれば現地に駆けつけ、庶民派の指導者として人気がありました。しかし2012年10月、米国NYタイムズ紙が、温家宝一族は国有企業の株式など27億ドル（約2000億円）の資産を形成した、とすっぱぬきました。中国政府はNYタイムズへのアクセスを禁止しました。

しかし、言論の自由がない中国でも、汚職は許されることではないので、反習近平派の幹部たちは汚職の証拠を突きつけられたら、ぐうの音も出ません。

こうした汚職撲滅の陣頭指揮をとってきたのが、党員の腐敗を監督する機関「中央規律検査委員会」、そのトップである王岐山（おうきざん）でした。彼は、習近平の懐刀（ふところがたな）のような存在で、ナチスにたとえれば、ゲシュタポ（秘密警察）長官のような役割を担っていました。王岐山は習近平に次ぐナンバー2、国家副首席の座に昇り詰めましたが、最近はしばらく表舞台に姿を見せていません。

いばりくさっていた党幹部が次々に逮捕されていく様子が国営メディアに報道されると、民衆は拍手喝采を送りました。党員を「明日は我が身か」という恐怖で縛り上げ、民衆には溜飲を下げさせる。これが習近平のやり方です。その一方で、習近平に近い人間には捜査の手は一切及ばず、習近平にゴマをすることが最高の保身となっています。

習近平の姉・斉橋橋(せいきょうきょう)はカナダ国籍を持つ夫とともに不動産王で、香港にタワーマンションをいくつも所有する他、レアアース会社の株式(約230億円)を所有しています。一族の資金は米国やスイスの銀行に預金してあるといわれ、娘は米国に留学中。万が一、習近平が失脚しても、一族は海外で悠々自適の生活を送れるのです。王岐山はまず、習一族の汚職を調べるべきでしょう。

習近平の「汚職撲滅」を名目にした権力集中は、当然、上海閥や共青団出身者からは恨まれています。反主流派からすれば、習近平を権力の座から引きずりおろしたいというのが本音ですが、もはや暗殺するくらいしか手段がないほど、習近平は権力を掌握しています。

実際、習近平暗殺未遂の動きは何度もありましたが、習近平は警察や情報機関の首根っこを押さえているので、すべて未然に計画が露見し、潰されています。

とはいえ、任期が終わってしまえばたちまち権力を失い、報復される恐れがあります。だから、習近平は憲法改正をしてまで、〝終身国家主席〟の座を手に入れることにこだわったのです。

Q 巨大金融都市・香港が生まれた経緯とは？

２０１９年、香港で大規模な民主化デモが発生しました。きっかけは、中国本土への容疑者引き渡しを可能にする「逃亡犯条例」改正案に反対するデモでした。この改正案が成立すれば、香港に逃げ込んだ中国人だけでなく、香港の住人も中国からの要請によって中国本土に引き渡されることになります。香港の独立性や一国二制度の原則がないがしろにされる危機感から、デモは中国返還以後最大の規模に拡大しました。習近平政権はこれを警察力で押さえ込み、２０２０年には「国家安全維持法」を制定、２０４７年まで保障されていた香港の言論の自由を奪い取りました。

なぜ、香港で対立が続いているのでしょうか。まずは金融都市・香港の歴史からひも解いていきましょう。

もともと香港はイギリスの植民地でした。

１８４０年にイギリスと中国の間でアヘン戦争が勃発すると、イギリス軍は香港島を占領。１８４２年に締結された南京条約で、香港島はイギリスに割譲され、対岸の九竜

図3　香港周辺図

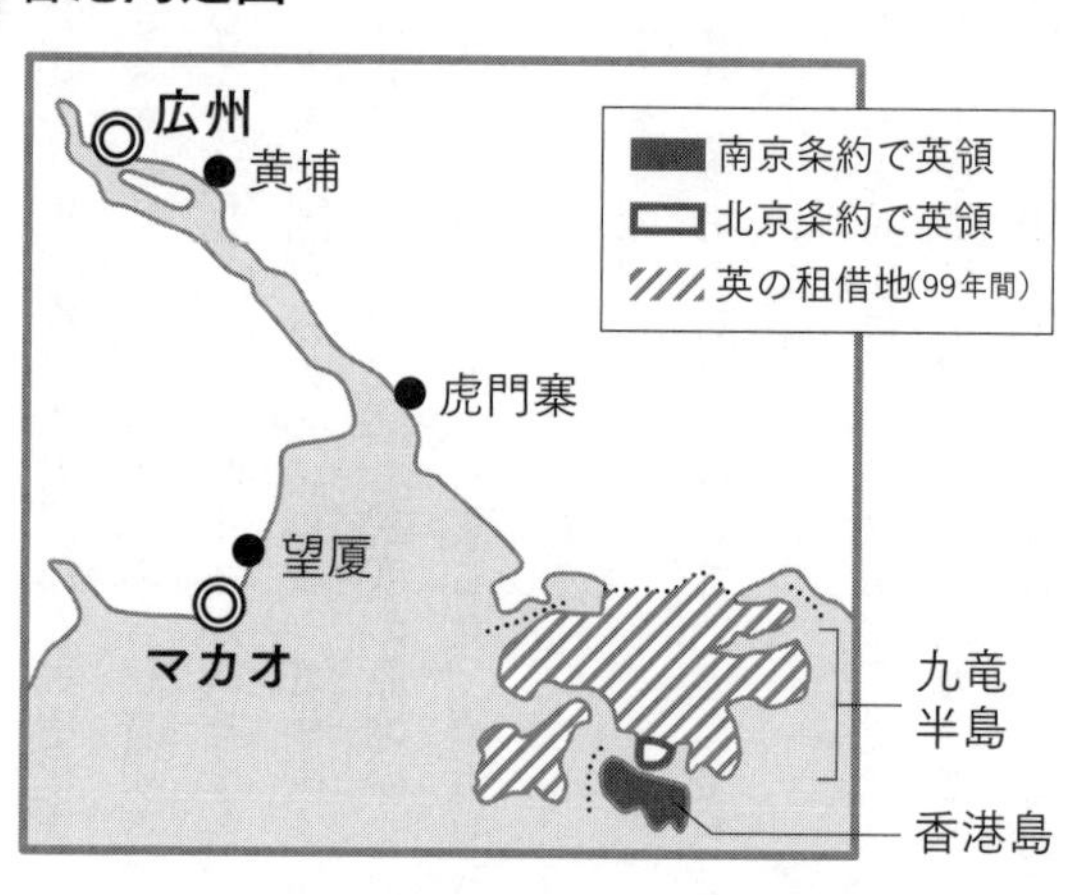

半島南部も北京条約（1860年）で英領となり、残りの九竜半島全体（新界）は日清戦争後の英清協定（1898年）で99年間、イギリスが租借（レンタル）することになりました。

イギリスによる植民地統治は1997年に香港が中国に返還されるまで続きました。ここで、ある疑問が浮かんできませんか。

なぜ、第二次世界大戦後も香港は植民地として残ってしまったのか、と。

たとえば、日本は台湾と満州を支配していましたが、日本の敗戦で日本軍が撤退し、中国の領土となりました。

ところが不思議なことに、戦後、中国は

イギリスに対しては香港支配を黙認し、返還要求をほとんどしませんでした。イギリスはそのまま香港を統治することになったのです。これはイギリスが戦勝国だったためですが、他にも理由があります。

いちばんの理由は、お金です。イギリス統治下で経済的な発展を遂げた香港は、戦後にはシンガポールと並ぶ貿易拠点となり、東南アジアの金融センターの地位を築きました。一方で、戦後、経済的な発展が遅れていた中国の最大の弱みは、お金でした。金融都市として発展する香港経由で、経済的な恩恵を得られるなら致し方ない、と毛沢東は考えたのでしょう。

イギリスも狡猾でした。国共内戦を経て国民政府を台湾へ放逐し、１９４９年に中華人民共和国を建国した中国共産党政権を真っ先に承認したのはイギリスです。このとき、交換条件として香港をこれまで通りイギリスの植民地とすることを持ちかけました。あうんの呼吸とは、このことです。

Q 香港の「一国二制度」に込められた意味とは？

１９７８年、当時のトップである鄧小平は改革開放に舵を切り、社会主義国のまま市場経済を導入することを決めました。このとき、そのモデルになったのが香港です。

香港に隣接する深圳は、当時は何もない小さな漁村でした。香港をモデルにして深圳を中国初の経済特区に指定すると、中国のエレクトロニクス産業の中心地となり、〝第2の香港〟といっても過言ではない巨大都市に成長しました。こうして手に入れた資本主義のノウハウによって、中国各地の都市が経済的に発展していったのです。

1980年代、目覚ましい経済発展を遂げていた中国にとって、香港の価値は相対的に低下していきました。香港を取り込んでも副作用が出ないくらい、中国の経済力がアップしていたからです。機が熟したと判断した鄧小平は、香港の主権を中国に取り戻すべくイギリスのサッチャー首相と交渉を重ねます。本来、イギリスが返還しなければならなかったのは、99年間の租借期限がある新界だけでした。しかし鄧小平は、英領となっていた香港島と九竜半島南部の同時返還を要求したのです。

1984年、両国は香港返還協定を締結します。この協定により、「1997年の香港返還」が決定しました。しかし、「鉄の女」と評されたサッチャーですから、転んでもただでは起きません。「香港は返します。ただし、現在の体制は守ってください」と条件をつけました。これが「一国二制度」です。

香港返還協定が締結された1984年は、「天安門事件」の5年前です。天安門事件の直前まで、中国は今よりもずっと自由な雰囲気でした。

総書記だった胡耀邦は共青団の出身で改革派として知られ、ソ連の民主化を断行したゴルバチョフ大統領にちなみ、「中国のゴルバチョフ」といわれていました。胡錦濤のボスだった人物です。

経済が資本主義になった一方で、政治が共産党の独裁のままだと、許認可権をすべて共産党が握り、これが腐敗の温床になるのはあきらかでした。そこで、腐敗を撲滅するには民主化が必要だという声が学生を中心にあがったのです。胡耀邦はこうした共産党批判を認め、学生デモも許していました。

イギリスのサッチャーは、こうした中国の変化を目にしたからこそ、香港の一国二制度という条件を中国に示しました。「これから中国は、どんどん民主化していくだろう。そのお手本となる香港の一国二制度を通じて民主主義と自由主義を認めさせよう」という意図が隠されていたのです。

ところが1989年、改革派の胡耀邦が失脚後に心臓発作で急逝すると、それをきっかけに胡耀邦の死を悼む学生が集まり、民主化を求める声が一気に大きくなりました。

結局、中国共産党は戦車と兵士を天安門広場に送り込み、学生たちを制圧したのです。それ以降、中国は再び独裁政治へと舵を切りました。この天安門事件により、イギリスの中国民主化計画は、すべて台なしになりました。

しかし、一国二制度の条件をのんだのは、共産党にとっても失敗でした。大量の中国人が観光やビジネスで香港を訪れ、大陸にはない「自由の風」を浴びて戻ってきます。香港では、共産党政権に対する抗議運動が公然と行われ、毎年6月4日には、天安門事件の犠牲者を追悼する大規模な集会も行われてきました。香港の民主主義が中国本土に持ちこまれれば、共産党独裁体制は崩壊します。そこで習近平は、「一国二制度」を有名無実化することを決めたのです。

2019年香港大規模デモは、中国政府が「一国二制度」をなし崩し的に葬り去ろうとしたことに対する抗議活動でした。共産党が認めた一国二制度を、自らの手で反故にしようとしたのですから、香港住民が怒るのも当然でしょう。

Q 「雨傘運動」はどうして起きたのか？

香港で大規模な民主化デモが発生したのは、今回が初めてではありません。2014

年９月28日から79日間にわたり、民主化要求デモがありました。これを「雨傘運動」といいます。

香港がイギリス領だった頃は議会もなく、イギリス人の総督が強権的に治めてきました。ところが１９９７年の香港返還が決定すると、イギリスは返還前に香港を民主化しようと企てます。そして、香港市民にさまざまな政治的な権利を認めるようレールを敷いたうえで、１９９７年の返還のときを迎えたのです。

返還後、最後の総督クリストファー・パッテンが香港を去ると、その後釜に座ったのが「行政長官」、香港の知事にあたる役職です。総督をイギリス政府が任命していたように、香港行政長官も中国政府（共産党）による任命制です。

そして、行政長官の下に置かれた議会を「立法院」といいます。立法院議員ははじめ任命制でしたが、パットン総督時代に半数が選挙で選ばれるようになり、香港住民にもはじめて選挙権が与えられました。

ところが、この香港議会の選挙には中国政府による〝罠〟がしかけられました。香港の有権者が直接選挙で選べるのは立法院の定員の半分だけ。残りは「職能団体」から選出されます。職能団体とは、いわば業界団体のようなもので、経済界の立場を代表する人たちです。

経済界に身を置く人たちは、中国と香港の〝壁〟を越えて中国本土でビジネスチャンスをつかみ、マーケットを広げたいと考えていました。したがって、基本的に職能団体は親中派です。もちろん、直接選挙で選ばれた議員にも親中派はいますから、どう転んでも親中派が議会の過半数を占めるようになっているのです。

中国と距離をおきたい市民たちは、「議会で過半数をとれないなら、せめて行政長官は自分たちで選びたい」と要求しました。すると中国政府もあっさりこれを承諾し、行政長官を選挙で選ぶことを決定します。

しかし、ふたを開けてみたら、「行政長官に立候補できるのは、中国政府から推薦された人物だけ」という条件つき選挙制度だったのです。民主派の立候補者は実質的に排除されることになり、結局、「親中派しか行政長官になれない」というわけです。

民主派の市民たちは怒りの声をあげました。

「こんな選挙はいんちきだ！」と数万人の学生や市民が抗議デモを敢行します。香港警察は催涙スプレーを使ってデモ隊の取り締まりを開始。それに対して、デモの参加者は

図4　中国政府と香港の関係性

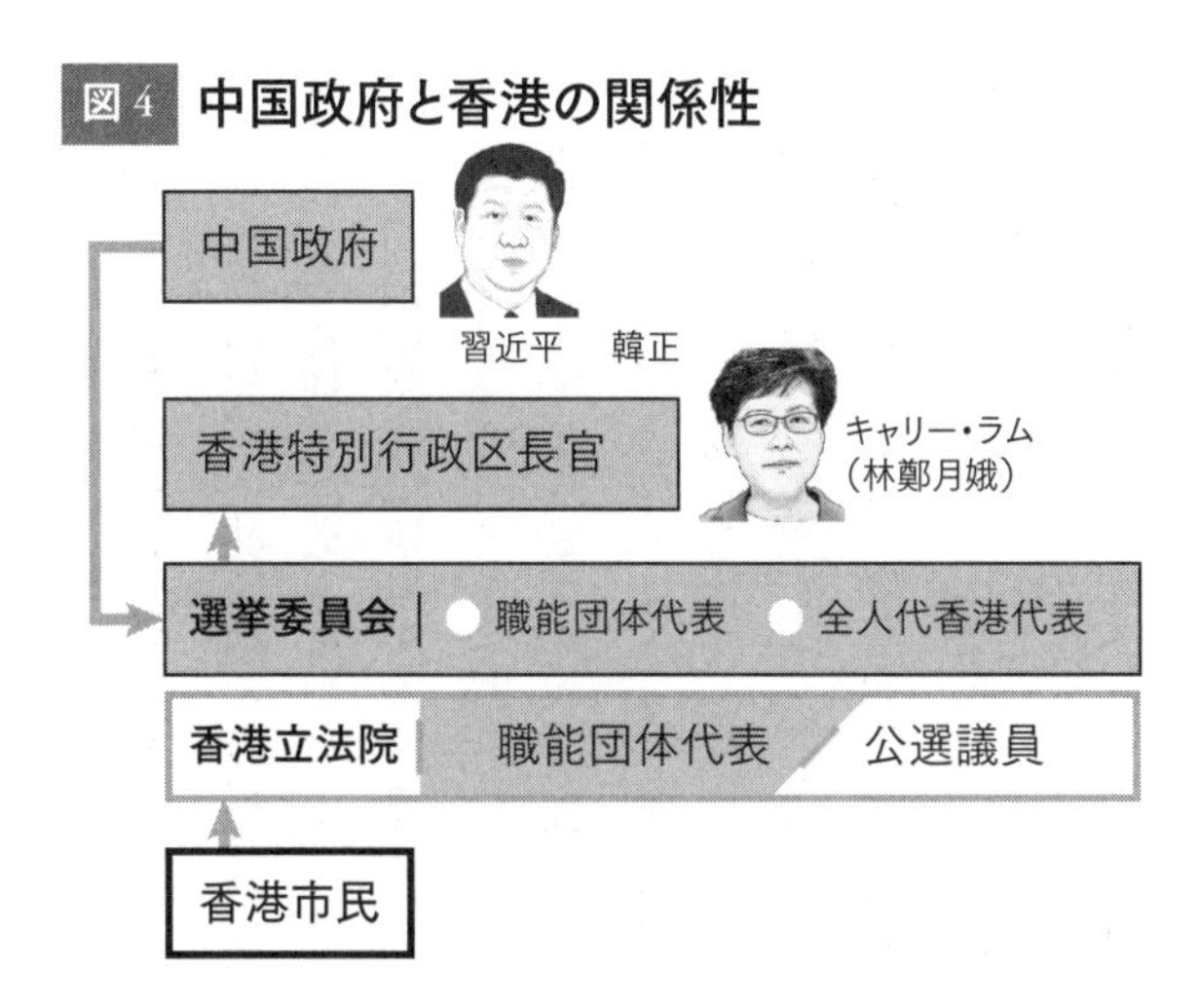

傘をさして催涙スプレーから身を守りました。これが「雨傘運動」の名前の由来です。

当時、まだ高校生だったジョシュア・ウォン（黄之鋒）やアグネス・チョウ（周庭）がデモ学生たちのリーダーを務めて話題になりましたが、経済優先の大人たちの間に、デモに賛同する声は広がらず、鎮圧されてしまいました。

当時はまだ、香港の一般市民は学生たちのデモに対して冷めた見方をしていたのです。「今、儲かっていればいいではないか。共産党を怒らせて景気が悪くなったら困る」と。学生以外の香港市民の支持を得られず、雨傘運動は盛り上がりを欠いたまま沈静化していったのです。

Q 2019年の香港デモはなぜ拡大したのか？

雨傘運動の鎮圧で味をしめた習近平は、真綿で首を絞めるように、じわじわと香港の民主派たちを押さえ込みにかかります。

まず、出版業界に圧力をかけました。2015年、香港に店を構える銅鑼湾書店という小さな書店の店主や従業員が次々に失踪する事件が起きたのです。

銅鑼湾書店では、台湾などから仕入れた、いわゆる「禁書」と呼ばれる中国政府へ批判的な書物を扱っていました。習近平本人や中国共産党幹部の派閥抗争や汚職などをテーマにした暴露本を販売していたのです。

結局、銅鑼湾書店の店主と従業員は、なぜか中国で拘束され、裁判にかけられました。中国政府に批判的な人物を狙い撃ちにしたのはあきらかでした。本来ならば、香港は言論の自由が認められているので、言論活動で逮捕されることはありえません。完全な別件逮捕でした。

こうした伏線の先に起きたのが、2019年の香港史上最大のデモです。

きっかけは「逃亡犯条例」の改正でした。「香港警察が逮捕した犯罪容疑者を、中国の要請があれば中国本土に引き渡してもよい」という内容で、親中派議員が立法院に法案を上程しました。

この法律は、表向きは中国で犯罪を起こした犯人が香港に逃げ込んだ場合に、香港警察が犯人を捕まえて中国本土に引き渡すという趣旨です。しかし、よくよく考えてみれば、中国政府が特定の香港人に目をつけて、香港警察に「あいつを捕まえろ」と指示したら、香港警察がその香港人を捕まえて中国に引き渡すことが可能になります。銅鑼湾書店の事件のような理不尽な逮捕も、今度は法の名の下に行われてしまうのです。

こんなことが許されてしまったら、もはや一国二制度など名ばかりになってしまいます。法案に隠された意図に気づいた学生たちは、抗議デモを呼びかけました。

すると、雨傘運動のときには静観していた一般市民も合流し、ものすごい規模のデモに発展。香港の大通りがデモをする人で埋めつくされました。主催者発表によると、ピーク時には２００万人がデモに参加したとされています。香港の人口は約７４５万人ですから、じつに４分の１以上の住民が賛同したことになります。

習近平は、香港に隣接する深圳に人民解放軍を動員し、いつでも制圧する準備をしていましたが、アメリカやイギリスから警告を受けると、さすがに動けませんでした。結局、香港警察が取り締まることになりました。

とはいえ、警察官も制服を着てヘルメットをかぶっていたら誰だか見分けがつきません。香港の言葉（広東語）が通じなかった、という証言もあり、じつは人民解放軍兵士が香港警察の制服を着ていた可能性もあります。真偽はあきらかではありませんが、とにかく天安門事件のように、おおっぴらに大砲をぶっ放すような手荒な真似はできませんでした。

今はみんながスマホを持っていますから、警察官がデモ参加者を容赦なく殴っている映像がインターネットに拡散されました。また、警察官がデモ隊と同じ黒シャツに着替えて暴力行為を煽動して、あとでこれを取り締まる、という事例も報告されています。これにより香港住民の、香港警察と中国政府に対する信用は地に落ちたといえます。

しかし、香港の選挙制度の仕組みが変わらないかぎり、反中国派が立法院で多数派を占めることはできません。それが現実です。一国二制度は50年間の期限が決められています。２０４７年になれば今の香港の自由は完全に失われてしまいます。

Q 「香港国家安全維持法」の施行で、香港はどうなった？

２０２０年6月30日、習近平政権は北京の全人代で香港国家安全維持法（「国安法」）を可決し、即日公布しました。公布初日から香港では、大量の市民が逮捕されました。いったい、何がどう変わったのでしょう。

一言でいえば、これまでの香港自治政府を通じた間接統治を、北京政府の直接統治に変更したということです。香港国家安全維持法の中身を、具体的に見ていきましょう。

1. 北京政府の出先機関である「国家安全維持公署」を香港に置き、法の執行を直接行う。
2. 香港政府の中に、「国家安全維持委員会」を設置し、香港行政長官（キャリー・ラム）が主席となるが、中央政府（国務院）の監督と問責を受ける。
3. 香港独立を煽る「国家分裂罪」、北京政府に反対する「国家転覆罪」、デモや抗議活動など「テロ活動罪」、「外国勢力との結託罪」の四つを新たに犯罪と規定し、取り締まる。

4．国家安全維持法は、従来の香港の法に優先する。

これは、香港の本土化であり、「一国一制度」への変更です。イギリスとの協定で2047年まで保障されていたはずの「一国二制度」は、2020年に終わります。

こうして、香港の自由は終わりました。

住民に残された選択肢は3つ。①中国共産党の支配を受け入れる、②中国共産党と命がけで戦い、独立を勝ち取る、③海外に逃げる。

①は香港が、広州・上海・大連など、他の中国国内の都市と同じ扱いになるということです。他の中国人民と同じように香港住民は、政治については「見ざる、聞かざる、言わざる」に徹し、経済的利益だけを求めて生きろ、ということです。しかし運動に参加した人たちは、ニュース映像などから徹底的な身元調査がなされ、遅かれ早かれ逮捕されていくでしょう。中国の政治犯収容所で何が行われているのか、誰も知りません。

②は、諸外国の支援がなければ勝ち目はありません。しかし香港返還はイギリスが署名した国際協定ですから、「香港独立」を認めるのは中国に対する主権侵害（侵略行為）となります。米・英も、そこまでは踏み込めないだろうと北京政府は見ています。

とすると、③が現実的です。イギリスはすでに、英領香港パスポートを持つ住民の無条件受け入れを表明しました。また中国語が通じ、民主主義が保障されている点で、台湾が香港住民を受け入れるでしょう。しかし中国政府がそれを認めるかどうか。

Q 中国が香港デモの封じ込めに失敗した理由とは？

では、香港のデモが一向に鎮静化せず、激化していったのはなぜでしょうか。

中国共産党内部のあるグループが、火に油を注いでしまったのです。

自由度の高い市場経済を採用してきた香港は、もともと外国資本との結びつきが強いので、じつは上海閥の利権でした。

上海閥は、「香港は開かれた自由な市場」というイメージのほうが、外国から資本が入ってきて儲かる、と考えています。ですから、多少の学生運動は黙認してきたのです。下手に弾圧すると大資本が逃げてしまいますから。

中国共産党最高指導部で香港を担当する責任者は、「チャイナ・セブン」の一人、韓正という人物です。彼は江沢民派、つまり上海閥です。だから、韓正は多少のデモは容認してもいい、という立場で、デモ隊を弾圧するようなことはありませんでした。

ところが、デモが激しさを増してくると、警察が市民に銃口を向けて引き金を引くなど、急に弾圧に転じました。

これは、習近平自らが香港問題に手を突っ込んできたことを意味します。習近平は、少し手荒い手段をとればデモ隊も静かになり、ついでに上海閥のライバルたちも失脚させられると踏んでいたのかもしれません。

しかし、学生たちは弾圧に屈することなく、これまで以上に団結を強める、さらには市民まで加わり、100万人、200万人を超える大規模デモに発展していきました。さすがに、天安門事件のようにデモ隊に向けて戦車部隊を投入したら世界中から制裁を受けてしまうので、習近平もそれ以上手が出せなくなりました。そこで手を替え、品を替えて、「国家安全維持法」を全人代に可決させ、中国政府が「合法的に」直接介入できるようにしたわけです。

Q マカオと中国本土の関係は?

香港返還から遅れること2年、1999年に中国に返還されたのが、カジノの街として有名な観光地マカオです。

マカオは中国に返還されるまでは、ポルトガルの植民地でした。アヘン戦争によってイギリスが香港を植民地として獲得したことに刺激されたポルトガルが、1887年にマカオの行政権を中国から奪取したのです。貿易量では対岸の英領香港に追い抜かれたマカオですが、1930年代以降、日本軍に追われた上海や香港のカジノ業者が中立国であるポルトガル領マカオに避難し、営業を始めます。中国と交易をする欧米人はマカオを休養地として利用することが多く、カジノのおかげでマカオは、「東洋のモンテ・カルロ」と呼ばれるほど興隆をきわめたのです。

第二次世界大戦後、国民党系の反共右派政権が実権を握り、「中国共産党の干渉は受けない」と北京政府とは国交を断っていました。

しかし1966年に中国共産党を支持する住民による反ポルトガル運動が巻き起こります。これを「一二・三事件」といいます。ちょうど中国で文化大革命が起きた年です。その影響をもろに受けたマカオでは、共産党が住民の間に浸透し、「ポルトガルを追い払え」という声が大きくなったのです。

結局、妥協を余儀なくされたポルトガルは、何賢（かけん）という親中派の実業家をマカオのトップに据え、1999年のマカオ返還に応じました。

中国本土では賭博行為は非合法です。しかし中国共産党は、返還後のマカオのカジノ産業を「特例」として認めました。カジノが貴重な〝カネづる〟だったからです。カジノの利権で甘い汁を吸った共産党幹部も多かったに違いありません。

また、マカオはタックスヘイブン（租税回避地）でもあります。共産党の幹部はマカオの銀行口座に、汚職で得た〝黒いお金〟を預けています。マカオや香港の口座に入れておけば、北京政府の取り締まりから逃れられる、というわけです。

ちなみに、日本でも２０１９年、カジノを含む統合型リゾート（ＩＲ）事業参入をめぐり、国会議員の汚職事件が起きました。日本でカジノ産業を立ち上げることになれば、アメリカのマフィアとチャイニーズ・マフィアが触手を伸ばしてくることは容易に想像できます。２０１９年12月、東京地検は自民党二階派の秋元司議員を、カジノ誘致をめぐる収賄容疑で逮捕しました。カジノを推進する政治家たちの正体を、国民は見極めるべきでしょう。

第2章 米中サイバー戦争と東アジアの危機

Q 中国「超監視社会」、真の実態とは？

第2章では、さらに突っ込んで、中国の覇権国家への野望と東アジアにくすぶる危機の火種を詳しくみていきましょう。

今の中国が「超監視社会」であることが、ようやく日本でも知られてきました。都市部を中心に、監視カメラと顔認証システムのネットワークが網の目のように張り巡らされています。COVID－19の拡大を防ぐ局面でも、こうした監視網によって中国政府は人々の行動を管理し、感染拡大を封じ込めた、ともいわれています。

中国では、スマホで買い物をするのが当たり前です。道端で肉まんを食べたいと思ったら、スマホで決済できる。だから、小銭を持ち歩く必要もありません。逆にいえば、スマホがないと生活できなくなっています。

こうした中国社会を見て、「中国はデジタル化が進んでいてすごい。日本も中国を見習うべきだ」といった発言をする人もいますが、表面的な部分しか見ていません。

毛沢東の時代から、中国には、「档案（とうあん）」と呼ばれる、すべての人民一人ひとりの個人情報を記録した人材ファイルが存在しています。

戸籍に関する基本情報から党籍、学歴、勤務年数、過去の表彰受賞、懲罰まで記載されています。さらには、本人や家族のこれまでの発言内容や、ショッピングの購入履歴などの記録もあります。

檔案は、旧ソ連や旧東ドイツなど共産圏の国で行われてきた制度で、北朝鮮にも同じような仕組みが存在します。東ドイツではシュタージという秘密警察が国民のデータをすべて収集していました。１９８９年にベルリンの壁が崩壊し、東ドイツが西ドイツと統一されたとき、シュタージ本部に保存されていた個人ファイルを見て、東ドイツの人々は、「こんな細かい個人情報まで集めていたのか！」と驚嘆したといいます。

中国では、共産党員になる際に党員2名の推薦が必要になる他、檔案の内容が厳しく精査されます。ちなみに、「中国の人は全員、共産党員」と思っている人がいますが、じつは、共産党員になれるのは厳しい審査をパスしたエリートだけです。

檔案は、いわば中国人一人ひとりを評価した内申書のようなものです。14億の人民全員に点数がついています。これを共産党がすべて管理し、ランキングをつけているのです。このランキングで一定の順位より上の評価でなければ、共産党の党員になることは叶わないのです。

逆に档案のランキングが下がっていくと、キャッシュカードやスマホを使えなくなり、日常生活にも支障が出てきます。つねに自分のランキングを気にしながら生きていかなければならない。これが「中国超監視社会」の実態です。

Q 「デジタル化」が進む中国は理想の社会なのか？

デジタル社会の到来で、档案はさらにパワーアップしています。かつて档案は紙で管理されていましたが、現在はすべてデジタル化され、スマホとも連動しています。すべての買い物がスマホでできるということは、個人の購入データを共産党が把握、管理していることを意味します。どこで何を買ったか、どれだけの借金をしているかも国に把握されています。

さらには、ネット上の発言も筒抜けなので、習近平や共産党の悪口をネット上に書き込むのも命がけ。検索履歴から、思想傾向もわかってしまいます。

顔認証技術の進歩によって、すぐに顔も割れてしまいます。都市部には街角にカメラがたくさん設置されていて、「Xは、2020年10月10日13時54分に上海の○○通りを歩いていた」という情報も共産党は管理できます。

「国家安全維持法」が適用された香港でも、今後、全市民の档案がつくられていくでしょう。

２０１９年にはじまった香港デモでは、参加者たちはマスクをつけていました。顔認証から身元が割れるのを防ぐためです。それに対して、香港当局は「マスク禁止令」を出しました。ＣＯＶＩＤ－19の流行で「マスク禁止令」が無効になってしまったのは、共産党にとって誤算だったかもしれませんが……。いずれにせよ、人類の歴史上ここまで人間を管理している国家はない、というレベルに中国は達しています。

Q なぜ中国は「超監視社会」の構築をめざすのか？

超監視社会である中国では、もし人民が政権や共産党に対する悪口をインターネット上で書いたりすれば、基本的にすぐに身元が割れてしまいます。それでも、不満をネット上でつぶやいてしまう人は後を絶ちません。監視されていることを知らずに書いている人もいるでしょうが、中には当局から目を付けられることを覚悟して書いている人もいます。

共産党のいうことに従って自分がおいしい思いをするのであれば、少しくらいの不満はあっても我慢できます。しかし、共産党の強権的なやり方により、大変な不利益を被るケースもあります。

よくあるのは、住居からの立ち退きです。社会主義の中国では、基本的に土地は全部国有で、日本のような私有の概念がありません。人民はあくまでも国から土地を借りている立場です。だから、「ここにビルを建てるから出て行け！」と上からいわれたら、拒否することはできません。それでも、「先祖代々住んでいる家を守りたい」というのが人情ですから、立てこもって抵抗する住民も出てきます。

共産党の役人は、直接手を下して住民から恨まれるのも嫌なので、日本でいうところの「やくざ」のような組織を金で雇って、退去を迫ります。やくざから手荒な手段で追い出された人は、憤懣やるかたない思いになり、逮捕覚悟で文句もいいたくなるでしょう。

不満のはけ口は、ネット上だけではありません。直接、北京の中央政府に陳情するという手段もあります。

たとえば、地方政府から不利益を被ったり不満があったりしたら、住民は地方政府を飛び越して中央政府に直接誓願するのです。「私は党中央に歯向かうつもりはありませんが、地元の党幹部からひどい仕打ちを受けました。なんとかしてください！」と。北京には毎年、何万人もの人民が陳情書をもって請願に押し寄せています。そんなことをされたら地方の共産党幹部は困ります。中央政府から「地元の人間くらいきちんと管理しろ！」と叱責されてしまいますから。だから、請願に向かった住民を北京まで探しに行って、連れ戻したりしているのです。

こうした例からいえるのは、「独裁はとても効率が悪い」ということです。档案のような大規模な管理システムを構築するだけでもコストと手間がかかりますが、さらには人民の取り締まりにも莫大な費用がかかります。

中国には、人民武装警察（武警）という内乱を鎮圧するための治安部隊が存在します。習近平政権は、正規軍である人民解放軍兵士を削減し、武警に振り向けました。もはや武警は人民解放軍より大きな組織で、四六時中、街中をパトロールしています。人民が共産党に反抗するような行為をしないか、心配でしかたないのです。

つまり、中国共産党の本当の敵は外国ではなく、人民というわけです。中国が档案のような制度に力を入れる理由もここにあります。

Q 「超監視社会」の実現に欠かせないピースとは？

14億人の人民を管理する「档案」のような大規模なシステムを運用するには、技術上のある課題を克服する必要があります。

その課題とは、すさまじい量のデータを処理する能力です。人民の管理にはスマホが使われているので、そのデータ量は半端ではありません。つまり、大容量データ通信ができないと档案を運用することができないのです。

この大容量データ通信を可能にするのが、5G（第5世代移動通信システム）です。5Gの専門的な技術や仕組みについては、煩雑になるのでここでは触れません。簡単にいうと、「今までとは桁違いのデータ量をやりとりできるシステム」です。

それによって、たとえば車の自動走行システムを実現できます。すべての道の交通状況を把握したうえで、ドライバーが関与しなくても自動で目的地にたどり着けるようにする、という技術です。渋滞回避や衝突回避も可能になります。

これを実現するためには、車に搭載したカメラによって走行車線や対向車線だけでなく、通行人などの位置情報をすべて瞬時に把握して、車のアクセルやブレーキを自動制御する必要があります。そのため大量のデータを瞬時に処理する仕組みが不可欠です。

こうしたシステムは、たしかに未来の社会にとっては価値のあることです。ただし、少し冷静に考えてみると、私たちが普段使っている４Ｇのスマホが５Ｇになることに、どれだけのメリットがあるでしょうか。現在の４Ｇで、何か不自由があるでしょうか。

もちろん、これまで以上に高画質の動画がスムーズに見られるなどの利点はあるでしょうし、５Ｇによって新しいサービスが誕生することは否定しません。４Ｋの超高画質の映像は大画面で見ればたしかにすごいと思いますが、スマホの小さな画面で見ても、画質の違いなど区別できません。

それではいったい、誰が大容量通信システムを必要としているのか。

そう、中国共産党です。大量のデータを送受信する必要のある「サイバー档案システム」を運用するために、５Ｇは必要不可欠なのです。街頭カメラによる顔認証システムは、すでに実用化されています。新疆ウイグル自治区ではいたるところにカメラが設置され、住民を徹底的に監視しています。その大量のデータを５Ｇを使って一元管理できるようになるのです。

Q

アメリカが「ファーウェイ」排除に躍起になる理由とは？

5Gの通信ネットワーク構築で世界のトップを走っているのが、「ファーウェイ（華為技術）」という中国の通信機器メーカーです。すでに日本でもファーウェイ製の5Gスマホやモバイル・ルーターが販売されています。

ファーウェイといえば、アメリカが「ファーウェイ排除」に乗り出したことがニュースになりました。アメリカから締め出しただけでなく、ヨーロッパや日本などの同盟国にもファーウェイの製品を採用しないよう、トランプ政権は圧力をかけています。

なぜでしょうか。

アメリカの言い分は、「ファーウェイの製品にはマルウェアやウイルスが仕組んであり、アメリカの機密情報を盗んでいる」というものです。つまり、ファーウェイを通じて、情報が中国政府にダダ漏れになる可能性があります。そのため、トランプはアメリカの政府機関からファーウェイ製品を排除することを決めました。

アメリカがファーウェイ排除に躍起になるのには根拠があります。

ファーウェイは民間企業の顔をしていますが、じつは同社を設立したのは、中国の人民解放軍を退職した5人の元軍人です。その経緯からすれば、今もファーウェイは人民解放軍とつながっている、と考えるのが自然です。

2018年12月、ファーウェイの副会長である孟晩舟（もうばんしゅう）という女性が、アメリカの要請を受けたカナダ当局によりバンクーバーで逮捕されるという事件がありました。経済制裁下にあるイランとの違法な金融取引に関わった、というのが逮捕の理由です。

孟晩舟の父・任正非（じんせいひ）は、ファーウェイの最高経営責任者（CEO）。人民解放軍時代の仲間6人とファーウェイを立ち上げた人物です。つまり、人民解放軍出身の父とその娘が、現在のファーウェイを経営しているわけですから、解放軍とのつながりを疑わないほうが難しいでしょう。

ちなみに、親子で名字が違うのは、孟晩舟が任正非の離婚した元妻の娘であるため、母の「孟」姓を名乗っているからです。この母親は四川省の副省長の娘ですので、中国政府とはまさにズブズブの関係にあります。

ファーウェイという会社は民間企業の皮をかぶった中国の国策企業であり、人民解放軍の別動隊だとアメリカは位置づけています。このまま放っておけば、中国国内の档案のようなシステムを海外で運用することが可能になり、いずれは全人類を中国は監視するようになるのではないか……。だからこそ、アメリカは孟晩舟を別件逮捕し、ファーウェイをアメリカ市場から締め出そうとしているのです。

アメリカは同盟国にもファーウェイ排除を要請していますが、足並みはそろっていません。イギリスのジョンソン政権は通信各社に対し、2027年までにファーウェイ製品を排除するよう指示し、5G技術開発で日本政府に協力を求めてきました。一方でドイツのメルケル政権はファーウェイ製品排除を拒否し、トランプを激怒させています。ドイツの自動車産業は、中国のマーケットでもちこたえているようなものなので、中国からの報復をおそれているのでしょう。

日本の安倍政権は中央省庁と公益法人に対し、ファーウェイ、ZTEなど中国製品の使用禁止を通達しました。しかし、民間での使用に制限はなく、家電量販店に行くと今でもファーウェイの大きな看板が目に飛び込んできます。危機感がなさすぎるといわざるを得ません。

Q TikTokは、中国のスパイアプリなのか？

TikTok（ティックトック）は、1分以内の短い動画を編集し、配信もできるスマホ用アプリです。10代の若者を中心に爆発的にヒットし、米国だけで1億人、世界で20億人以上がスマホにダウンロードしたという怪物アプリです。

ＴｉｋＴｏｋを開発したバイトダンス社（字節跳動）の創業者・張一鳴はまだ30代。福建省の出身で、天津の南開大学を卒業後、同社を設立しました。

この人には共産党や人民解放軍との直接的なつながりはないようです。しかし中国のサイバーセキュリティ法で、「企業が集めた顧客データは中国政府と共有せよ」となっているため、北京から情報提供を要求されれば、逆らえません。

ＴｉｋＴｏｋには米国の世論を動かす力もあることが、あきらかになりました。

２０２０年６月20日、オクラホマ州タルサで開かれたトランプ大統領の選挙演説会。２万人収容の会場はガラガラで、６０００人しか集まらず、トランプを激怒させました。実は事前にＴｉｋＴｏｋで「タルサのトランプ集会を潰そう」という呼びかけがあり、偽名で会場を予約して満員にし、当日キャンセルで空席にする、という作戦が実行されたのです。

７月31日、トランプ大統領は、米国でのＴｉｋＴｏｋの使用禁止を発表しました。ＴｉｋＴｏｋ側は、米国ＩＴ企業オラクルが出資する新会社に、米国でのＴｉｋＴｏｋ事業を買収してもらう計画を進め、「米国企業」に看板を付け替えることで生き残りを図っています。

日本ではまだ禁止の動きはありませんが、日本のソフトバンク社がバイトダンス社に対して、10兆円規模の投資を行っています。米国での使用禁止令が、ソフトバンク社に跳ね返ってくる可能性があるのです。

Q 中国が台湾統一を狙う理由とは?

5Gのような大容量データ通信システムを支えるのが、半導体のようなハイテク技術です。もともと半導体技術では、日本が世界のトップを走っていました。1980年代には、アメリカを追い抜き世界一のシェアを誇っていたほどです。

しかし、日本の半導体産業は沈んでいき、代わりに韓国や台湾の企業が台頭してきました。この背景には、当時の日米半導体交渉がありました。米国が日本からの半導体輸入を規制した結果、その間隙を縫う形で韓国や台湾のハイテク産業が急成長し、世界トップレベルにまで躍り出たのです。

そんな台湾のハイテク企業を虎視眈々と狙っているのが中国です。もともと台湾統一は中国にとって絶対に譲れない悲願でもありますが、それが実現すれば、台湾企業を丸ごと乗っ取ることができます。世界トップのハイテク技術をもつ台湾企業は、５Ｇのような通信システムによって国を統治している中国にとって、のどから手が出るほど抱え込みたい存在なのです。その場合、武力統一ではなく、台湾住民の意思として中国との統一を実現する、という「平和統一」が望ましいわけです。

習近平は２０１９年1月、新年の談話を発表し、台湾の人々に向けてこんな呼びかけをしました。

「中台の統一を諦めないし、武力行使を放棄することはありません。でも心配ない。香港と同じように『一国二制度』を採用し、台湾の高度な自治権を認める準備があります。中国に統一されても、台湾のみなさんはこれまで通り自由な生活ができます」

この発言を受けて、台湾では親中派の人々を中心に「一国二制度なら中国と一緒になってもいいかも」という声が強くなっていきました。

ところが、２０１９年6月に香港の民主化デモが本格化すると、風向きが大きく変わります。習近平の意向を受けた香港当局が警官隊を投入すると、デモの参加者に対して殴打、発砲した挙句、死者も出てしまいました。

香港のデモの様子を見ていた台湾の人たちは背筋が凍りました。

「一国二制度が保障されているはずの今でさえ、中国は香港の人にこんなひどい仕打ちをしている。もし台湾が中国の一部になってしまったら、どれだけ恐ろしい日々が待っているだろうか」と身に沁みたのです。

2020年1月、台湾のトップである総統を選ぶ選挙が行われると、対中強硬派で、現総統の蔡英文(さいえいぶん)が、「一国二制度を拒否する」と演説し、親中派である国民党の候補に対して圧勝しました。習近平の一国二制度の呼びかけが、台湾では裏目に出てしまったというわけです。

Q 中国「屈辱の100年」を招いた戦争とは?

米中貿易戦争、アメリカ主導のファーウェイ排除、そして中国発のCOVID-19の感染拡大……これらにより中国に対する風当たりが厳しくなってきています。そうした国際情勢が中国の経済成長にストップをかけています。

IMF(国際通貨基金)は、中国の2020年の経済成長見通しを1%としました。これまで、公式発表では6%以上の成長を達成してきた中国経済に、急ブレーキがかかったのです。

今後、中国経済はどうなっていくでしょうか。貿易では、アメリカのトランプ政権が保護貿易に走る一方で、中国の習近平は自由貿易の「守護者」を演出するなど、これまでの米中の立場が逆転しています。

歴史的に見ると、古代からイギリスで産業革命が達成された18世紀半ばまで、中国は世界最大の工業国でした。当時の主要な産業は絹織物、茶、陶磁器で、これらの中国製品が世界のマーケットを席巻していました。その対価として大量の銀が流れ込んでいたので、中国は大幅な貿易黒字国でした。

それが一気にひっくり返るきっかけとなったのが、１８４０年のアヘン戦争です。イギリスは、植民地インドで製造したアヘン（麻薬）を中国（清）に密輸して巨額の利益を得ていました。しかし、アヘンの蔓延に危機感をつのらせた中国がアヘンを全面的に禁輸とし、イギリス商人の保有するアヘンを没収・焼却すると、反発したイギリスとの間で戦争となりました。

２年間にわたる戦闘の末にイギリスが勝利すると、１８４２年に南京条約を締結。このときイギリスに割譲されたのが香港です。当時の中国にとって香港は小さな島だったので、それほど損害はなかったのですが、それ以上のダメージとなったのが貿易の自由化をのまされたことです。

それまでの中国は、外国商船を「朝貢使節」と位置づけ、受け入れ港や回数を厳しく制限する「管理貿易」を行ってきました。

もともと中国人は、イギリスのことを東南アジアの国と同程度の小さな島国だと見ていました。イギリスを見下していたのです。だから、アヘン戦争の前は、イギリス商人が中国製品を買いにくると、「茶を買いたいなら頭を下げろ」とふんぞりかえっていました。外国使節は清の皇帝の前で「ひざまずいて額を地面に打ちつける」動作を3回繰り返すことから、「三跪九叩頭の礼」といいます。これをすることを条件に中国との貿易を許していたのです。

「中国が上、イギリスが下」という立場だったので、アヘン戦争が始まってからもイギリスは遠慮して、首都である北京まで攻め込まず、南京の手前で進軍をやめました。中国側も「野蛮な海賊が暴れている」程度にしか危機感をもっていなかったので、「面倒だから海賊（イギリス）の要求も少しは聞いてやろう」と軽い気持ちで港を開いたのでしょう。

この判断が命取りとなりました。アヘン戦争に負けて港を開くと、中国にはイギリスがつくった工業製品が大量に流れ込む結果となりました。産業革命によって可能になった安くて良質なイギリスの製品が中国市場を席巻すると、中国人がつくった国内製品が売れなくなってしまいました。国内産業が衰退すれば、国外にお金が流出していきます。税収も減るので軍事力も落ちていく。こうして、中国は自由貿易をきっかけに大きく国力を落としていきました。

中国の近代史はアヘン戦争から始まります。自由貿易を導入したばかりに真っ逆さまに落ちていった中国にとって、アヘン戦争はその後に待ち受ける「屈辱の１００年」の幕開けとなったのです。

Q なぜアメリカは保護貿易に走るのか？

イギリスが世界の覇権争いで一人勝ちしていた19世紀、自由貿易を受け入れた国はすべて滅びるか、植民地に転落しています。中国はイギリスの求めに応じて自由貿易を採用してから国内経済はガタガタになり、その後、日清戦争の敗北や列強による植民地化といった辛酸をなめることになりました。その苦難の歴史は、第二次世界大戦後、中国共産党が政権を握るまで、100年以上続きました。

これに危機感を覚えたドイツとアメリカは「保護貿易」を展開します。

ドイツの名宰相ビスマルクは、ドイツ統一を成し遂げて国際的威信を高めましたが、経済面では「もうイギリス製品は要らない」とイギリス製品を国内市場から締め出しました。

アメリカでは、イギリスとの貿易をめぐって対立が起きました。「イギリスと自由に貿易してアメリカがつくった綿花を買ってもらったほうがいい」と自由貿易を訴えた南部と、「イギリス製品が入ってくるとアメリカ国内の工業が育たないから関税をかけるべきだ」と主張する北部はスタンスが異なりました。1861年に勃発したアメリカ史上最大の内戦「南北戦争」は奴隷制存続をめぐる戦いでもありましたが、自由貿易の是非をめぐり南北で割れたことも戦争の一因だったのです。

結局、北部が勝利したアメリカはイギリスとの貿易を制限し、工業化に成功しました。そして、1900年代になると、保護貿易を展開したアメリカとドイツは、経済力でも軍事力でもイギリスを追い抜いたのです。

アヘン戦争後の中国の沈没は、日本にも大きな影響を与えました。このままでは中国の二の舞になると危機感を抱いた日本は、明治維新を実現すると、ハリスと結んだ不平等条約（日米修好通商条約）の見直しに取り組みます。日米修好通商条約には、日本の関税自主権が認められていなかったからです。

「関税がかけられない＝貿易自由化」ですから国内産業がやられます。明治政府は、列強との不平等条約改正に向けて交渉を重ねます。ことごとく無視されますが、日露戦争で日本が勝利すると、ようやく関税自主権を取り戻すことに成功しました。その結果、日本でも産業革命が始まり、世界の列強の仲間入りを果たすのです。

こうした歴史から学べる教訓は、常に「自由貿易が正しい」とはいえない、ということ。トランプがアメリカファーストで保護貿易に舵を切ったのも、自由貿易によって安価な中国製品が流入し、アメリカ国内の工業が弱体化していたからです。つまりトランプ政権の一国主義は、実はアメリカの製造業が疲弊していることの裏返しなのです。

Q 米中貿易戦争の本当の被害者は誰か？

「改革開放」から米中貿易戦争が始まるまで、中国は自由貿易の恩恵を受けていました。アメリカなどの海外企業にどんどん投資してもらった結果、経済発展を遂げたのです。

アメリカ企業アップル社のｉＰｈｏｎｅも、人件費の安い中国で生産されました。

結局、中国の経済発展でいちばん得をしたのは外国企業です。外国企業に許認可を与える立場の共産党の「上海閥」と利益を山分けし、中国人の労働者には還元されませんでした。あいかわらず工場の労働者は低賃金のままで、賃上げ交渉さえできない。ストライキなどすればすぐに逮捕されてしまいます。

そういう意味では、改革開放政策に始まる中国の自由貿易は、共産党自らが国を植民地として明け渡したようなものだといえます。

さらには、自由貿易によって食料もアメリカ頼りになってしまいました。中国人は大量に豚を消費するため、豚のエサも大量に必要になります。そのエサとなるのが、アメリカ産のトウモロコシ。アメリカから輸入したほうが安上がりなのです。

今回の米中貿易戦争で最初に打撃を受けたのは、中国の工場で生産しているアメリカ企業です。中国で安く生産してもアメリカに輸出すれば高関税がかかるからです。

そこで、トランプは多国籍企業に対して「中国ではなくアメリカに戻って生産しなさい」といって税制などの優遇策を講じました。すると、かなりの工場がアメリカに戻り、国内の雇用も増える結果となりました。

その一方で、アメリカの農家も米中貿易戦争で打撃を受けました。中国がアメリカの農産物に関税をかけたせいで大幅に輸出量が減少したからです。すると、トランプはアメリカで余ったトウモロコシを日本に買ってもらうことを考えます。2019年の日米貿易交渉の席で、安倍総理に大量のトウモロコシを購入させる約束をとりつけました。中国で売れないものを日本に押しつけた、というわけです。

Q 長江の大氾濫——三峡ダムは大丈夫か？

2020年は梅雨前線が長く停滞しました。日本でも8月に入ってようやく梅雨が明けるという異常事態になり、熊本では球磨川が氾濫して大きな被害をもたらしました。

この梅雨前線は、日本列島から沖縄、中国の長江流域に長く伸びていました。長江流域で降り続いた雨は、無数の河川を経由して長江（下流域が揚子江）に流れ込みます。この流域は、中国最大のコメの産地であると同時に、長江の水運を利用して工業都市がいくつもあります。四川省の重慶、湖北省の武漢、江蘇省の南京、そして河口には上海があるのです。

長江の膨大な水圧を利用して発電を行う三峡（さんきょう）ダムは、世界最大のダムとして江沢民時代の1990年代に建設されました。

出現したダム湖は全長660キロ。東京から岡山までの距離に匹敵します。推定120万人が強制移住させられ、水圧で地質構造にも変化が生じ、百数十カ所でがけ崩れが発生しました。また、ダム上流の重慶から流出する生活廃水、工業排水がダム湖に流れ込み、巨大な汚水槽になってしまいました。

ご多分にもれず、建設を指揮した李鵬(りほう)首相の一族は巨額のリベートを受け取り、総工費の20%弱が関係者の懐へ消えました。この結果、工事は手抜きとなり、完成したダムには1万カ所のひび割れが発生しました。

これに対して共産党政権は、「一万年に一度の洪水も防げる」(2003年 新華社)と豪語しましたが、2006年の開通式には胡錦濤国家主席、温家宝首相以下、政府要人は誰も出席せず、暗い未来を予感させました。

その後、中国共産党の説明はトーンダウンしていきます。

「千年に一度の洪水も防げる」(2007年 新華社)

「百年に一度の洪水も防げる」(2008年 新華社)

「すべての希望を三峡ダムに託すことはできない」(2010年 CCTV)

「設計基準は、千年に一度の洪水を防げるはずだった」（2011年人民日報）

そして2020年の豪雨が三峡ダムを襲いました。

ダム湖の水位は安全基準を突破し、ダム決壊を防ぐべく、当局は最大量の放水を実施しました。本来、洪水を防ぐのがダムの役割ですが、三峡ダムはもはやダムの役割を果たしておらず、放水された大量の水が下流域を襲い、沿岸の諸都市を水没させています。また、大都市の水没を避けるため、農村部で堤防を爆破してわざと溢れさせることまでやっています。

「三峡ダム決壊」という最悪の事態になった場合、4億人が被災し、上海は都市機能を停止すると予測されています。これを避けるための苦肉の策なのです。

しかし「人工的な洪水」により、家やクルマ、耕地や家畜を押し流された数千万人の被災者に、共産党政権はどうやって補償をするのでしょう。当然、秋の収穫も見込めませんから、食糧価格の高騰は不可避です。米中貿易戦争による失業者の増加。COVID－19による経済成長の鈍化、長江の大氾濫による食糧不足……まさに八方塞がりの状態といえます。

Q サイバー戦争とは一体どこで争われているのか?

米中が争っているのは、貿易面だけではありません。水面下では「サイバー戦争」が繰り広げられています。

サイバー戦争とは、インターネットやコンピュータ上で行われる戦争行為のことで、敵国の機密情報を盗んだり、攻撃をしかけたりします。たとえば、軍事や行政のシステム、民間のインフラストラクチャーを攻撃し、機能停止に陥れることもできます。

とくに軍事面では、ハイテク化が進んでいます。たとえば、人工衛星から情報を集めて、敵の位置をプロットしたうえで、ミサイル発射基地にそのデータを送る。つまり、ミサイル攻撃は、ほとんどデータのやりとりで済んでしまいます。反面、もしシステムの中枢がサイバー攻撃によって破壊されたら、ミサイルひとつ発射できないのです。

したがって、仮にこれから大規模な戦争が起こったら、短期間で決着する可能性があります。サイバー攻撃によって一瞬で相手国の攻撃システムが機能麻痺に陥ってしまうからです。

コンピュータやインターネットは、戦争のあり方そのものを変えようとしています。

ＩＴ化によって兵器も無人化が進んでいて、アフガニスタンなどの戦場では、すでにドローンが兵器として使用されています。イランの革命防衛隊のソレイマニ司令官を殺害したのも米軍のドローンです（２１４ページで詳述）。兵士は戦場に行かずに、基地内でパソコンの画面を見ながらキーボードをクリックするだけ。それが当たり前になっています。

攻撃するかどうかの判断は人間がしていますが、将来はコンピュータがそれすら担うようになるでしょう。すべてＡＩ（人工知能）が判断してくれるのです。

相手国もＡＩを使うでしょうから、「戦争の無人化」がいっそう進みます。やがては敵味方のＡＩ同士がコミュニケーションを始めて、プロの将棋のように「このまま戦ったら３３５手先で当方が負け、決着がつくから、今ここで降伏しよう」とＡＩ同士が話し合い、戦闘が起こらないまま勝敗がつくかもしれません。

米ソ冷戦時代は、「一方が核ミサイルを撃てば相手も撃ってくるので、絶対に核ボタンは押せない」という恐怖の均衡が、結果的に破滅的な戦争を防いでいました。このような「核抑止力」が、全面戦争を止めてきたのです。

しかし、サイバー戦争が主流になる時代は、サイバー空間における攻撃力が抑止力になるでしょう。たとえば、対立する国がともに相手国の核兵器ミサイルのシステムに攻撃をしかける能力を備えていれば、お互いに手を出すことはできません。一方がサイバー攻撃をしかければ、当然報復の応酬となり、互いに壊滅的な被害を受ける可能性があるからです。近い将来、「AI抑止力」によって軍事的な均衡が保たれる時代がやってくるのです。

現在、サイバー空間で圧倒的な優位に立っているのは、アメリカと中国です。日本は独自の情報収集能力を高めるべきですが、当面は、アメリカと情報共有させてもらうのが現実的な戦略です。

具体的には、「ファイブ・アイズ」の仲間に入れてもらうこと。ファイブ・アイズとは、英語圏5カ国の情報共有システムのことで、アメリカ、カナダ、イギリス、オーストラリア、ニュージーランドが参加しています。

2020年8月、河野太郎防衛大臣に対してイギリス側から、日本のファイブ・アイズ加盟を検討してもらいたい、と要請があり、河野大臣はこれを歓迎しました。

ただし、日本にはスパイ活動そのものを取り締まる法律がなく、「スパイ天国」といわれています。そのような国に、ファイブ・アイズの加盟国が重要な情報を提供するでしょうか。まずは防諜（スパイ防止）を可能にする法律を整備するのが急務です。

Q 中国は世界の覇権を握ることができるか？

米中貿易戦争は始まったばかりですが、結果的に中国が負けると予想されます。世界の覇権争いでも、アメリカには敵わないでしょう。

歴史的に見れば、中国は東アジアの地域覇権をずっと握っていましたが、世界の覇権を握ったことは一度もありません。

一方で、中国の歴史上、現在が最も世界の覇権に近づいているのはたしかでしょう。「一帯一路」の名の下、アフリカや中南米の発展途上国にお金をばらまいて世界で存在感を増してはいます。

しかし、そのばらまいているお金の出どころは、元をたどればアメリカや日本からの投資。「アメリカの投資を元手に、アメリカの覇権に挑戦する」というのは、どう考えても自己矛盾です。親分の金をばらまいておいて、「これからは自分が親分です」と主張するのは無理があります。

結論をいえば、「アメリカに勝負を挑むのは時期尚早だった」のです。あと50年くらい待てば中国がアメリカに勝つ可能性もあったかもしれません。ただ、中国は負けても「勝った」と言い張る国なので、少々の敗北では「勝った」と主張するでしょうが……。

Q これから中華帝国はどこへ向かうのか？

中国のこれからについて、もう少し掘り下げておきましょう。

中国のこれまでの歴史を大雑把に振り返ると、戦乱と分裂の時代のあとに独裁統一国家が誕生する。そして、その国家が崩壊すると、戦乱と分裂の時代に戻り、また独裁統一国家が誕生する……というサイクルを5回ほど繰り返してきました。

中国の国家が崩壊するパターンも決まっています。まずは、官僚機構が支配する社会システムの下で戦争をやりすぎて財政難に陥る。財政難をしのぐために増税すると、当然、農民が飢える。そこに自然災害が加わります。干ばつや冷夏に襲われて、さらに困窮した農民たちが反乱を起こす。おおむねこのパターンで国が滅びてきました。

中国は広大な国土をもつので、全土でいっせいに飢饉に陥ることはほぼありません。基本的には食料が余っている土地から、飢饉で苦しむ土地に食料をまわすことで国家を維持してきました。人民に食料を確保するのが国家の重要な役割だったといえます。

ところが、官僚機構が腐敗し、硬直化すると、人民に配るべき食料を自分の懐に入れたり、転売したりする官僚が跋扈（ばっこ）します。そこに予想外の自然災害が発生すると、分配機能が働かなくなるので、農民が反乱を起こすのは当然の結果です。

こうした歴史を踏まえて、毛沢東時代の中国共産党が実施してきたのが「分配」です。人民に平等に分け与えることで政権を維持してきました。毛沢東は文化大革命を通じて大勢の人を殺害しましたが、党幹部が私服を肥やすようなことはまだなかったのです。

社会主義建設の柱とされた集団農場のことを「人民公社」といいますが、土地はすべて国有で、人民は党の命令に従って働きました。その代わり食事は必要なだけ自由に食べることが許されていました。同じ人民服を着て自転車に乗っていた時代は、みんな貧しかったけれど、みんな平等だったのです。

しかし、こうした共産党のやり方では、中国経済は発展しませんでした。「このままでは米ソに対抗できない」と、大きく舵を切ったのが１９７０年代です。１９７２年にアメリカのニクソン大統領が電撃訪中し米中国交正常化の先鞭をつけると、１９７８年に鄧小平が改革開放政策を打ち出し、市場経済に移行していきました。その結果、経済発展によって全体のパイは大きくなりましたが、これまでのように「分配」ができなくなってしまいました。

その裏では、共産党の幹部たちは人民のことをかえりみることなく、外国資本と結託して賄賂を受け取り、私腹を肥やす……。これはまさに中国の王朝末期のパターンに符合しています。そして今、COVID－19の流行と長江大氾濫という大規模な自然災害が、中国を襲っているのです。

Q ささやかれる「中国分裂」のシナリオとは？

中国共産党は、改革開放以来の高度成長によって政権を維持してきたといっても過言ではありません。「多少の不自由はあっても、生活が豊かになれば我慢できる」というのが多くの人民の本音です。

しかし、共産党の官僚機構の腐敗と硬直化が進む今、このまま経済成長にブレーキがかかれば、人民にとって共産党政権のメリットはほぼありません。しかも、中国は日本以上に少子高齢化が進んでいて、将来、経済的にも社会的にもさまざまな弊害が生じることが予想されます。

中国には富裕層が約1億人いるといわれています。問題は、残りの13億人にどう飯を食わせるかです。李克強首相は2020年5月の全人代後の会見で、「平均年収は3万元だが、月収1000元（約1万5千円）の生活をしている人が6億人いる」と認めています。これが中国の現実なのです。

毛沢東の発想なら、「1億人の富裕層の富を貧困者に分配すべき」ということになりますが、そんなことをすれば富裕層はみんな海外に逃げてしまいます。すでに富裕層は、香港やマカオ、アメリカ、スイスなどに財産を移しています。そうした動きに網をかけようとすればするほど、富裕層は海外へ出ていってしまう、というのが現実です。

これまでの中国の歴史の流れを踏まえると、「21世紀、中国は分裂に向かう」と私は見ています。歴史上、中華帝国が分裂した例を挙げると、漢王朝の崩壊後（魏晋南北朝）、唐の崩壊後（五代十国）、清の崩壊後（中華民国時代の軍閥抗争）が代表的です。

これらの分裂時代に共通するのは、地方に武装勢力が現れて、勝手に国を建てている点です。

たとえば、漢の末期には三国志で有名な曹操（魏）や孫権（呉）、劉備（蜀）が国をつくり、覇権を争いました。唐の玄宗皇帝の時代にあらわれた安禄山という軍人は、楊貴妃一族との権力闘争から大反乱を起こし、唐帝国を事実上崩壊させました。清の末期には中央の軍人たちが国を立ち上げて清朝を倒しました。これを「軍閥」といいます。日本から資金提供を受けていた袁世凱（えんせいがい）や張作霖（ちょうさくりん）が有名です。

こうした歴史を踏まえると、中華人民共和国が分裂するとしたら、「地方の人民解放軍のトップがそれぞれ国家を建国する」というシナリオが考えられます。

いわば現代版の「軍閥割拠」です。

現在、人民解放軍は、中国全土を5つの地域に分けた「軍区」に編成されています。もともとは鄧小平の時代に7大軍区に分けられましたが、2016年に習近平が再統合して、5つの軍区が生まれました。これを「5大戦区」と呼んでいます。

仮に5つの戦区が独立すると、ひとつの戦区の人口は2~3億人ほどですから、立派に国家として成立する規模です。たとえば、上海のある東部戦区はすでに経済的にかなり栄えているので、先進国として独立できるはずです。北京のある中部戦区や広州のある南部戦区もなんとかやっていけそうですし、旧満州の北部戦区は寒い地域ですが、地下資源が豊富なので日本など海外からの投資を引き出せれば、十分に栄える可能性があります。いちばん困るのは四川省のある西部戦区でしょう。国土は広いですが、チベットやウイグルの独立問題を抱えることになります。

図5　中国の軍閥

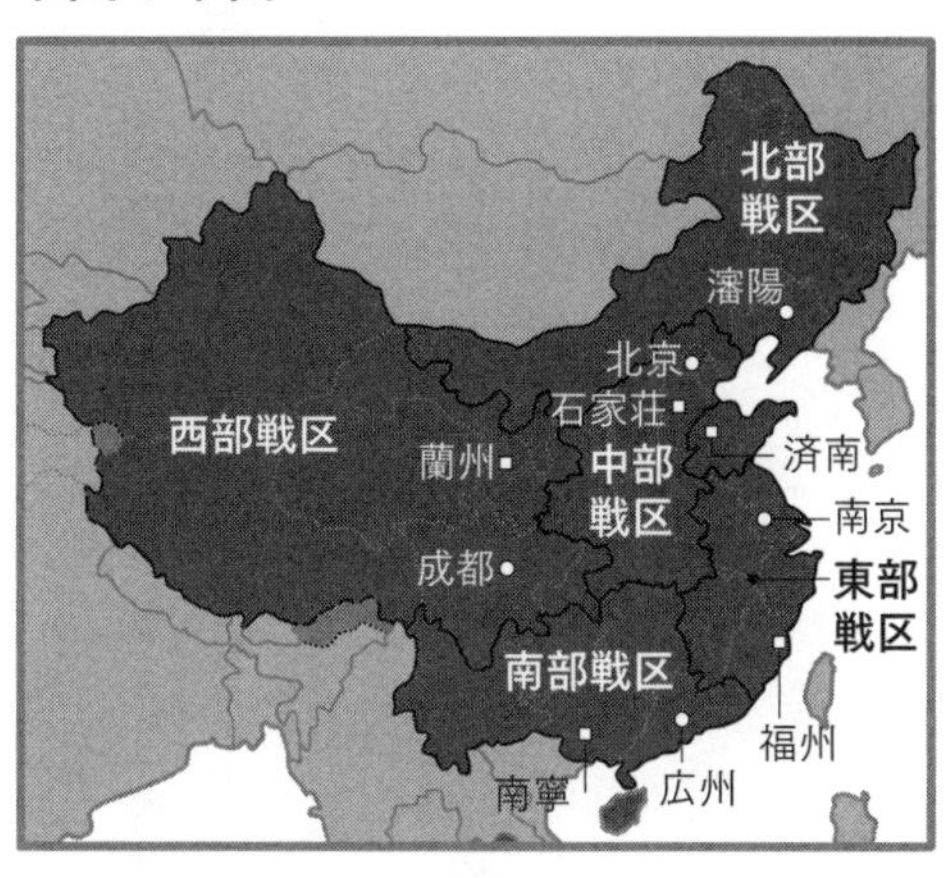

そもそも14億人の人口と広大な国土をもつ国を、共産党幹部7人（チャイナ・セブン）だけですべて仕切ることに無理があります。誤解を恐れずにいれば、中国は分裂したほうが人民のためになるのではないでしょうか。

そんなことをいうと、「そんな話は現実味がない」と思う人も多いでしょう。しかし、私は「案外早く中国の分裂は起きるのではないか」とさえ考えています。歴史を振り返ると、国家の寿命は、70～80年がひとつの節目になる傾向があります。たとえば、ソ連はロシア革命の5年後、1922年に建国し、崩壊したのが1991年。約70年間で幕を閉じました。大日本帝国は明治維新が起きた1868年にでき、1945年に崩壊しました。これも約80年でした。個人と同じように、国家システムにも「寿命」があるのかもしれません。アメリカは建国250年の若い国ですが、あのシステムは建国以来、変わっていません。4年に一度の大統領選挙を通じて、システムの新陳代謝がうまく行っているのです。硬直した国家、独裁国家には、寿命があります。

中華人民共和国が建国されたのは1949年。すでに70年を過ぎています。今世紀半ばに、中国が分裂していてもおかしくありません。

ソ連が崩壊したとき、世界に大きな衝撃が走りましたが、それと同じような出来事がアジアで起きるかもしれません。チェルノブイリの原発事故を隠蔽したことで共産党は信用を失い、ソ連は崩壊しました。今後、中国共産党がCOVID－19や経済力低下で人民の信頼を失うことになれば、事態は一気に動き出すかもしれません。ソ連崩壊のときインターネットはありませんでしたが、今のネット社会では信用を失うスピードも昔とはケタ違いです。

今、中国は国が分裂するかどうかの分かれ道に立っているといっても過言ではありません。あるいは習近平が、中華人民共和国の最後の国家主席になるかもしれません。

Q 北朝鮮がアメリカから手に入れたいものとは？

米中関係、そして日本にも少なからず影響を与えている米朝関係についても見ておきましょう。

歴史的転換点となったのが、２０１８年６月、シンガポールで開催されたトランプと金正恩（キム・ジョンウン）による米朝首脳会談です。

２０１７年まで北朝鮮はミサイル実験だけでなく、水爆実験まで強行するなど好き放題に振る舞っていました。それに対してトランプは北朝鮮をテロ支援国家に再指定して、金正恩を「ロケットマン」と呼び、北朝鮮への先制攻撃を示唆する発言をしました。「一発ぶん殴っておとなしくさせる」ことを意図した計画で、「鼻血作戦」と呼ばれていました。それでも北朝鮮はまったく交渉に応じようとしませんでした。

２０１８年になると、業を煮やしたトランプは金正恩に親書を送りました。

「キミが核兵器をたくさん持っていることはよくわかった。でも、アメリカは何百倍もの核兵器を持っている。だから、よく考えたほうがいい。もし私と話をしたければ、いつでも連絡してほしい」

トランプ流の脅迫状です。同時に、ベトナム戦争以来使っている戦略爆撃機B52を朝鮮半島周辺に展開するなど、さらなる脅しをかけました。すると、金正恩はトランプの誘いに応じ、「会いましょう」と返事をしてきました。こうして実現したのが、2018年6月の米朝首脳会談です。

「ケンカ上手」トランプの執拗な脅しがあったとはいえ、金正恩はどうして米朝首脳会談を受け入れたのでしょうか。

ひとつは、北朝鮮国内に向けたアピール。敬愛する祖父の金日成が、アメリカのカーター元大統領と会ったことはありますが、アメリカの現職大統領と会談するのは初めてのことでした。金正恩がアメリカの大統領と対等に、そして堂々と渡り合ったことをアピールできれば、「さすが、われらの偉大な指導者」と拍手喝采で称えられます。

もうひとつは、「韓国に駐留する米軍の全面撤退」を実現するため。北朝鮮の最終的な目標は、韓国の米軍をすべて撤収させることです。軍事力に自信をもつ北朝鮮にとって、アメリカ軍の後ろ盾を失った韓国など屁でもない。洗脳が徹底している北朝鮮の兵士は死ぬ気で戦いますが、韓国の兵士にそんな根性はないと思っている。金正恩は、将来、韓国を吸収合併するための突破口として、米朝首脳会談を位置づけていたはずです。

Q 米朝交渉を続けるトランプ政権の本音とは？

一方のトランプは、どんな狙いをもって米朝首脳会談に臨んだのでしょうか。

じつは「韓国から米軍を引き揚げたい」というのがトランプの本音です。基本的に国内問題に専念したいので、よその国のことは面倒を見切れない、というスタンスです。日本に対しても、一貫して「日米同盟は続けてもいいけれど、もっと軍事費を負担してほしい」という姿勢。ヨーロッパのＮＡＴＯ諸国に対しても同じです。

そもそも朝鮮戦争のとき、北朝鮮から韓国を守ったのが米軍です。にもかかわらず、韓国国内では反米感情が高まり、「米軍は出て行け」という声も大きくなっています。現大統領の文在寅（ムン・ジェイン）も、そうした国民感情に乗っかって当選した左派です。「韓国人は恩を仇で返すのか。もう面倒だから米軍は引き揚げる――」。これがトランプの本音です。

その点では、トランプと金正恩は話が合います。一時期、金正恩とトランプの関係がうまくいっているように見えたのは、「韓国は見捨てる。煮て食おうと焼いて食おうと好きにしてくれ。アメリカの脅威にならないなら、朝鮮統一もいいことだ」というトランプの暗黙のメッセージを、金正恩が感じ取っていたからです。

Q 北朝鮮の非核化交渉が停滞した理由とは？

米朝首脳会談をきっかけに、北朝鮮の非核化に向けて交渉が始まりましたが、その後は交渉は停滞し、北朝鮮は再び挑発的な行為を繰り返しています。

アメリカが北朝鮮に求めていたのは「完全な非核化」です。水爆実験やミサイル開発を完全にやめて、核施設もすべて廃棄すれば、経済制裁を解除すると一貫して主張していました。

それを受けて2019年2月、北朝鮮の外務大臣が、「寧辺の核施設を放棄する用意がある」とアメリカに伝えます。ところが、アメリカは寧辺以外にも核施設があるという情報をつかんでいました。「寧辺を放棄するのはポーズであって、本当はこっそり核開発を続けるつもりだろう」と。

そんな中、同年6月にベトナムで2回目の米朝首脳会談が開催されました。これは公表された情報ではありませんが、トランプはその場で北朝鮮が隠していた核施設の証拠を出したようです。金正恩に「こっちの核施設はどうするのか？」と迫ったのです。

金正恩が答えられずにいるとトランプは、「こんな交渉をしてもムダだ」とばかりに、席を蹴って会談途中で帰ってしまったのです。北朝鮮は、「トランプなんて簡単に騙せる」と高をくくっていたのでしょう。それ以来、米朝交渉はストップしてしまいました。

ベトナムでの米朝首脳会談で外交責任者を務めていた党統一戦線部長・金英哲（キム・ヨンチョル）は責任を負わされて、粛清されたようです。韓国の朝鮮日報は「金英哲は強制労働と思想教育を受けて、その後処刑された」と報じています。

米朝交渉が止まってしまえば、当然、今まで通りの経済制裁が続くことになり、北朝鮮はどんどん追い詰められていきます。一方のアメリカは非核化交渉がストップしてもまったく困りません。これまで通り経済制裁を続けるだけで、北朝鮮にプレッシャーを与えることができます。

交渉が停滞していることで、金正恩は相当焦りを感じているのでしょう。２０２０年に入ると、アメリカに振り向いてもらおうと、ミサイル発射実験を再開しました。

Q 北朝鮮の非核化は実現するのか？

では、肝心の北朝鮮の非核化は実現するのでしょうか。

結論から先にいうと、北朝鮮の非核化はありません。

なぜなら、アメリカがすでに北朝鮮の核武装を許容しているからです。じつは、ここでも米中新冷戦が関係しています。

北朝鮮が、水爆と核ミサイルの開発に成功したといっても、アメリカ本土を脅かせなければ意味がありません。大陸間弾道ミサイル（ＩＣＢＭ）には成功したものの、ミサイルに搭載できるような核兵器の小型化にはまだ成功していないのです。

逆に米国から見れば、北朝鮮が核を保有することは、ある意味メリットがあると考えています。

それは、「中国に対する牽制になる」というメリットです。

朝鮮民族は歴史的に、隣の超大国・中国の脅威にさらされ続けてきました。祖父の金日成は中国の圧力と内政干渉をかわすため「チュチェ（主体）思想」を提唱し、朝鮮独自の社会主義を目指したのです。

金正日は、息子・正恩に対する遺訓として「中国を絶対に信用するな」と言い残しました。金正恩は、親中派と目されていた叔父の張成沢（チャン・ソンテク）を反逆罪で一族もろとも処刑しました。

２０１７年には、さらに衝撃的な事件が起こりました。マレーシアの空港で金正男（キム・ジョンナム）が

図６　金ファミリー

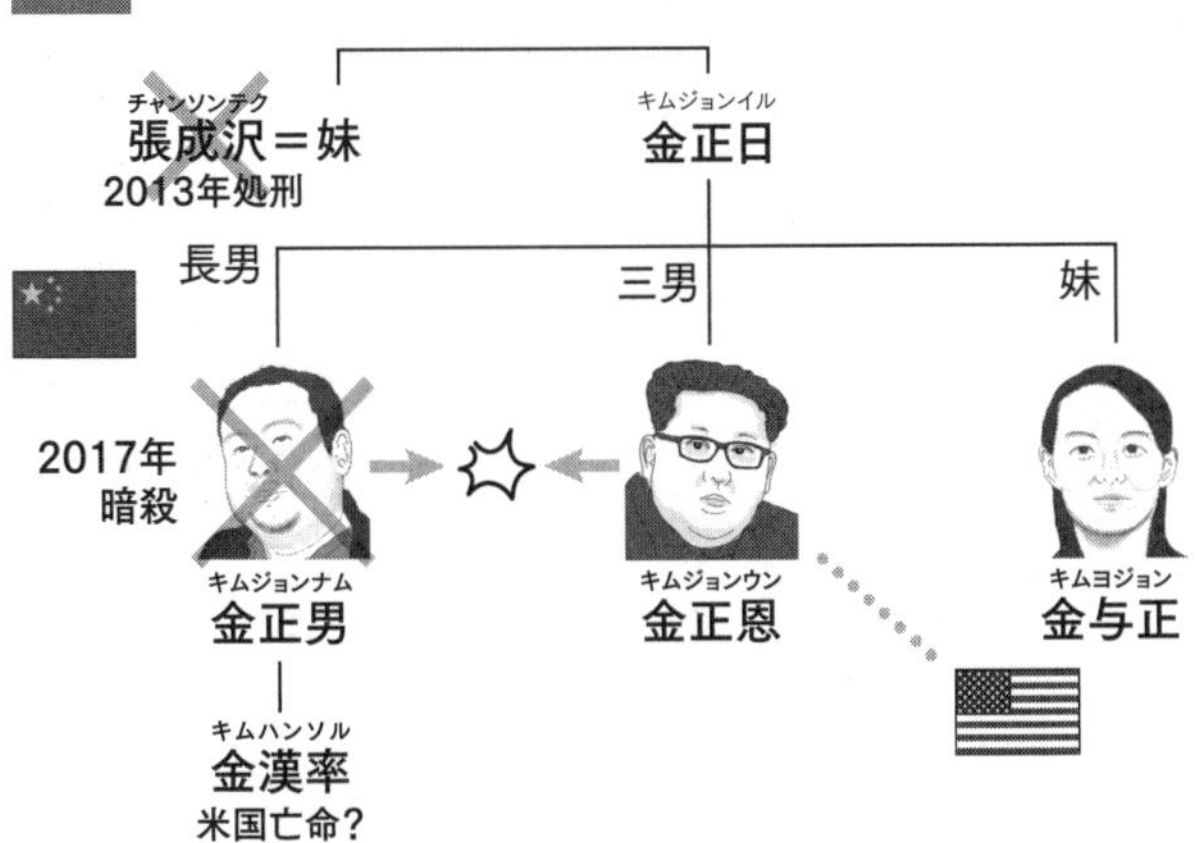

暗殺された事件です。金正恩の異母兄である金正男も親中派として知られ、暗殺を恐れてマカオに亡命し、中国式の改革開放を称賛していました。

この金正男の殺害を弟の金正恩が指示したとすれば、彼はあきらかに「反中国」の立場です。そこには、中国に飲み込まれまい、という強烈な意志が垣間見えます。

北朝鮮と中国との関係がさらに悪化した場合、アメリカは北朝鮮と同盟を組んで中国を押さえ込む、という選択肢も考えられます。だからトランプ政権は、北朝鮮の核問題に対して目をつむるという新戦略を打ち出したのです。

アメリカは、「米国本土は脅かしてはな

らない」という条件さえ守れば、金正恩政権に核保有を許容するでしょう。アメリカ本土やグアムに届くような長距離ミサイルの開発は許しませんが、中距離ミサイルならOKというわけです。北朝鮮のミサイルを逆方向へ向ければ、北京や上海が射程に入ります。ついでに日本が北朝鮮にびびってアメリカのミサイル迎撃システムをたくさん買ってくれればいい、とも考えているでしょう。

日本は、北朝鮮のミサイルを必要以上に恐れることはありません。日本には飛んでこないからです。なぜなら、北朝鮮にとって日本は大事な「カネづる」だからです。

日本には朝銀信用組合（朝銀、現在のハナ信用組合）という在日朝鮮人が利用している銀行があります。この朝銀が、バブル崩壊後に次々と破綻しました。破綻原因は、資金の流れが不明瞭だったことにあります。在日朝鮮人にはパチンコ屋や焼き肉店などの経営者が多いのですが、彼らが朝銀に預けた資金が、朝鮮労働党の出先機関である朝鮮総連を通じて、「上納金」としてピョンヤンへ流れていたようです。その金額、推定4500億円。

朝銀も一応日本の金融機関だということで、当時の小泉政権は、莫大な金額の公的資金を投入して救ってしまいました。結果的には、日本人の税金をせっせとピョンヤンへ送っていたというわけです。

北朝鮮から見れば、日本にミサイルを撃ち込んで焼け野原にしてしまったら、「上納金」が入らなくなってしまいます。貴重なカネづるを自ら手放すことは考えにくいでしょう。

Q 金正恩は生きているか？

２０２０年に入ってから、金正恩の重病説が囁かれています。この噂には、いくつかの根拠があります。

まず、２０１９年12月に北朝鮮の高官が「アメリカが交渉に応じなかったらクリスマスプレゼントを贈る」と警告しました。水爆実験を用意しているといった憶測も流れましたが、年が明けて２０２０年になっても何も起こらず、〝クリスマスプレゼント〟は幻に終わりました。

２０２０年の正月にも異変がありました。これまでは金正恩の正月スピーチがテレビで放映されるのが恒例だったのに、２０２０年はそれがなかったのです。何らかの原因で物理的にできなかった、と考えるのがふつうです。

しかも、２０１９年の暮れには、海外にいた金一族が次々と呼び戻されています。金正恩の叔父・金平一（キム・ピョンイル）も２０１９年12月に帰国しています。金正恩の父である金正日は、弟の金平一は後継者争いのライバルになるため、ハンガリー大使に任命して、海外に追いやったのです。要は左遷です。それ以後、東欧各国の大使として海外を転々とする生活を強いられました。そんな人物が、なぜか北朝鮮本国に戻ってきたのです。金権力の中枢から弾き出された金一族が戻ってきたという事実は何を意味するのか、さまざまな憶測を呼びました。

さらに、金正日の妹である金敬姫（キム・ギョンヒ）が、金正恩と一緒にいる姿が久しぶりにテレビに映し出されました。金敬姫は、金正恩の手で粛清された張成沢の妻です。夫の粛清後、彼女が表に出ることはなくなっていました。

北朝鮮では「白頭山の血脈」といって、「革命の父」である金日成の一族を、ロイヤルファミリーのように扱います。

金正恩の妹である金与正（キム・ヨジョン）が、後継者に指名されたという説も有力視されています。その根拠は、２０２０年になってから、本来であれば金正恩が出すべき党の公式メッセージが、妹・金与正の名前で出されているという事実です。

彼女は2020年6月、経済制裁がいまだに解かれない原因が韓国の文政権にあると激しく批判。「役に立たない北南共同連絡事務所が跡形もなく崩れる悲惨な光景を見ることになる」と警告したあと、2018年の南北首脳会談の成果の象徴である共同連絡事務所を本当に爆破してみせました。

韓国のニュースサイト『リバティ・コリア・ポスト』の情報では、2019年末の朝鮮労働党の総会で、金与正は組織指導部第一副部長に就任し、後継者に内定したとされています。また『韓国中央日報』は脱北者からの情報として、2019年10月、金正恩が朝鮮の最高峰で「革命の聖地」とされる白頭山を訪れたとき、随行した幹部に対して「私の後継者は妹の与正である」と話した、と伝えています。

こうした北朝鮮の数々の「異変」は、何を意味するのでしょうか。

現実的に考えられるのが、金正恩の健康悪化説です。

それを裏づける情報があります。2020年1月にフランスの医療チームがピョンヤン入りしています。金正恩は最高指導者の座についてから急激に太りました。尊敬する祖父の金日成のように自分を大きく見せようと、無理をしたのかもしれません。未確認情報ですが、脂肪吸引手術をしたせいで重病を患ったという説もあります。脂肪吸引をすると、血栓ができやすくなり、脳梗塞（こうそく）などの病気を引き起こすとされます。

重病説が流れてからも、党の会議などに金正恩は登場しています。しかし、よく見ると耳の形や雰囲気が少し違う。金正恩には複数の影武者がいることはよく知られているため、テレビや報道で目にする金正恩は偽物ではないかという疑惑も出ています。

こうした状況証拠を並べていくと、すでに金正恩は死亡している可能性すらあります。後継者である金与正の権威付けをするために金一族を呼び戻したのだとしたら、死亡説も現実味を帯びてきます。もちろん、アメリカも情報をつかんでいるはず。今、まともに首脳会談をしても影武者が出てくるかもしれない。だから、トランプも北朝鮮を放置しているというわけです。

Q 文在寅はなぜアメリカより北朝鮮を重視するのか？

再び挑発を始めた北朝鮮に対し、奇妙な沈黙を守っている韓国についても見ていきましょう。

今の韓国に関するニュースを理解するには、現在の大統領である文在寅について知る必要があります。

韓国は二大政党制です。党の名前は頻繁に変わるので覚えてもあまり意味がありませんが、二大政党にはわかりやすい特徴があります。アメリカを後ろ盾とする「親米派」と朝鮮半島統一をめざす「親北統一派」という違いです。わかりやすくいえば、「アメリカべったり勢力」と、「北朝鮮べったり勢力」に分けられるのです。

1963年から80年代半ばまでは、親米派の軍事政権が権力を握り、朴正熙（パク・チョンヒ）と、その後継者たちが大統領を務めました。元軍人である朴正熙は韓国の高度経済成長を実現した反面、民主化運動を弾圧し、「独裁者」という批判的評価も受けた人物です。

この長い軍事独裁政権の時代に学生だった若者たちの多くは、反体制運動に傾倒していきました。そんな民主化を求める韓国の若者たちを支援してきたのが、親米派の政権を敵視していた北朝鮮です。自分たちは独裁政権なのに韓国の民主化運動は素晴らしい、と称えたわけですから、おかしな話ですが。

じつは、このときの学生運動を通じて北朝鮮に感化・洗脳された当時の若者が、今の政権メンバーの中に名を連ねています。文在寅もまさにそうです。日本でたとえれば、1960年代の学生運動で大暴れした全学連、全共闘などに近いものがあります。日本では、その「なれの果て」が菅直人と民主党政権だったわけですが、いまの文在寅政権も、いわば「学生運動くずれ」の集まりといえます。

したがって、文在寅政権は完全な北朝鮮寄りで、反アメリカの立場です。80年代に学生運動をしていた40～50代の国民がおもに支持しています。

文在寅政権の前は、親米派の朴槿恵（パク・クネ）政権でしたが、彼女の父は独裁者だった朴正煕です。だから、文在寅をはじめとする親北派にとって独裁者の娘が政権の座についていることは絶対に許せないことでした。

その朴槿恵は、自滅の運命をたどりました。

リーマン・ショックが起きてアメリカが弱体化すると、代わりに中国が台頭してきました。本来、親米派だったはずの朴槿恵政権は「これからは中国の時代だ」と中国に鞍替えしました。朴槿恵は２０１５年に北京で開催された「抗日戦勝70周年記念式典」の軍事パレードに参加し、にこやかに手を振るなど、あからさまに中国になびくようになったのです。

重要なことなので繰り返しますが、中国と北朝鮮は仲が良いように見えて、実際は敵対関係にあります。中国は北朝鮮に核開発をやめるように圧力をかけたり、中国のように改革開放をして市場経済の導入を勧めたりするなど北朝鮮に介入してきました。

北朝鮮は中国にのみ込まれたくないので断固拒否を貫きました。父の金正日もそうですが、金正恩も中国を絶対に信用していません。「金儲けの道具に使うつもりだろう」と警戒してきたのです。

とはいえ、中国は市場経済を導入してうまくいったので、「中国のような改革開放をやりましょう」と提案したのが、粛清の憂き目にあった張成沢のグループです。金正恩の異母兄である金正男も「中国とうまくやりましょうよ」などといっていたら暗殺されました。北朝鮮と中国は犬猿の仲なのです。

これと同様に中国は、韓国国内でも親中派を育て、朴槿恵を歓待したわけです。これに対し、韓国の親北統一派は金日成の「チュチェ思想」を奉じ、朝鮮統一によって中国に対抗しようという考えなのです。

Q なぜ文在寅政権は誕生したのか？

朴槿恵政権が沈むきっかけとなったのは、２０１４年に起きた悲惨な事故でした。高校生が乗った大型客船セウォル号が沈没し、３００人を超える乗員・乗客が犠牲になりました。このセウォル号事件が起きたとき、朴槿恵大統領の所在が数時間わからず、初動が遅れたことが問題となり、国民から激しく非難されました。

さらには追い打ちをかけるように、朴槿恵の友人で、家族ぐるみの付き合いをしていた崔順実（チェ・スンシル）をめぐる政治スキャンダルが発覚します。崔順実とその夫が大統領とのつながりを利用してさまざまな利益供与を受けていたことや、娘を大学に不正入学させていたことが発覚。朴槿恵のスピーチ原稿を崔順実が書いていたことも国民のひんしゅくを買いました。

2人の関係が始まったのは、朴槿恵の父である朴正熙の暗殺事件がきっかけでした。崔順実の父は「霊能力者」で、もともと朴正熙大統領とは親密な関係でした。公共事業の口利きや軍の人事にも口を出していたほどです。その娘である崔順実が「亡くなった朴正熙の霊言です」といって、父を亡くして憔悴しきっていた朴槿恵に接近したため、彼女はこれを信じてしまいました。それ以来、朴槿恵は、父と同じように霊的能力にすがっていったのです。

崔順実の疑惑が発覚すると、親北派が猛批判を展開。労働組合や学生を動員して「ろうそくデモ」と呼ばれる抗議運動を実施しました。そして議会も大統領をかばえなくなり、朴槿恵は任期半ばで大統領の座を追われる結果となりました。現在は獄中生活を余儀なくされている朴槿恵は、完全に政治生命を絶たれたのです。

朴槿恵を失脚させた勢いに乗って、次の選挙で大統領に選ばれたのが学生運動出身の文在寅です。彼は、100％北のいいなりです。2018年には金正恩と会談を重ね、朝鮮半島の非核化と朝鮮戦争を公式に終戦させる平和協定の締結に共同で取り組むことに合意するなど、悲願の南北統一に向けて、金正恩のご機嫌とりに努めてきました。

しかし、先述したように、北朝鮮の最大の狙いは、米軍を韓国から追い出すこと。米韓のすべての関係を断ち切れというわけです。したがって、韓国が同盟国であるアメリカを袖にしないかぎり、南北統一という文在寅の野望は実現しないのです。しかしアメリカは韓国の唯一の同盟国であり、逆に文在寅に「北と手を切れ」と圧力をかけてきました。板挟みとなった文在寅は、どっちつかずのコウモリ外交を続けます。

2020年、文在寅を利用してきた北朝鮮も、ついに彼を見限りました。米朝交渉がストップし、アメリカによる経済封鎖が一向に解除されないからです。その結果、南北首脳会談の成果の象徴である共同連絡事務所が、北朝鮮によって爆破されたのです。

Q なぜ文在寅は日本を目の敵にするのか？

文在寅が大統領になってからは、日韓関係は冷え切っています。もちろん「反日」は韓国のお家芸ですが、文在寅政権の「反日」は、度を越しているように見えます。

①火器管制レーダー照射事件

2018年12月、能登半島沖の日本海で事件は起こりました。洋上で韓国海軍の駆逐艦「広開土大王」号と北朝鮮の不審船を発見した海上自衛隊のＰ１哨戒機が通信を試みたものの応答がなく、逆に「広開土大王」号が火器管制レーダーを照射したのです。

火器管制レーダーの照射はミサイル攻撃に先立って実施する準備行為で、合理的な理由なく他国の航空機に照射することは、ピストルを向けて照準を合わせるのと同じ行為です。自衛隊機はすぐに回避行動を取って事なきを得ました。

その後、韓国海軍は、「レーダー照射はしていない。自衛隊が嘘の発表をした」と言い張りました。自衛隊が証拠のビデオを公開すると、今度は韓国海軍もビデオを公開して、「自衛隊機が威嚇飛行をしたので、レーダーを照射した」と主張しました。

韓国海軍は言っていることが二転三転したうえに、いまだ一言の謝罪もありません。

結局、この問題はうやむやになったままです。

さらに、日本海を航行していた理由について、韓国は「北朝鮮の船が遭難していたから救助していた」と説明しています。しかし、通常船が遭難したらＳＯＳ信号を出すはずです。情報収集を任務とする海自のＰ１哨戒機は、ＳＯＳ信号をキャッチしていない、と発表しました。いったい、どちらが嘘をついているのでしょう。

ここからは推測です。ＳＯＳ信号を出していない北朝鮮の漁船と韓国の駆逐艦がそばにいて、日本の自衛隊機に「こっちへ来るな」とレーザーを照射してきたということは、何か見せたくないものがあったに違いありません。

北朝鮮は核実験強行の結果、国連の経済制裁を受けています。石油や戦略物資を輸入できないため、海上で第三国の船から物資を受け取る「瀬取り（せどり）」を秘密裏に行っています。今回も、韓国海軍と北朝鮮工作船が瀬取りをしていたのではないか、と疑うこともできます。もしくは、北朝鮮からの脱北者が乗った船を、北朝鮮から要請を受けた韓国海軍が追跡して捕まえた現場だった可能性も考えられます。

Q 日本が韓国への輸出厳格化に踏み切った真の理由とは？

②フッ化水素の輸出厳格化問題

2019年7月、日本の経済産業省が、韓国向けの半導体素材の輸出管理を厳格化した問題です。

「フッ化水素」は、スマホの心臓部に使われる半導体を製造する際にどうしても必要になる劇物です。世界的な半導体メーカーである韓国のサムスン電子などは、半導体を洗浄する工程で大量のフッ化水素を使用しています。

しかし、韓国には半導体の洗浄に使えるような高純度のフッ化水素をつくる技術がなく、ほとんどを日本企業から輸入してきました。したがって、フッ化水素をほぼ独占している日本企業からの輸出が厳格化されると、韓国の半導体産業は困るわけです。

ところが、韓国に輸出した大量のフッ化水素の行方が、わからなくなっている、という問題が発生しました。このため日本の経産省は、輸出管理の厳格化措置を発表したのです。これまで韓国を審査のゆるい「ホワイト国」扱いだったのをやめて、台湾など他のアジア諸国と同じような手続きを求め、フッ化水素が「どこの工場で、何に使われるか」をしっかり管理することにしたのです。これが輸出の厳格化の本当の意味です。

ところが、韓国は「経済制裁だ」「レーダー問題の報復行為だ」と猛烈に反発。日本のマスメディアも「安倍政権は、不当な〝輸出規制〟で韓国に圧力をかけた」という論調で騒ぎ立てました。

このため、多くの人がこの問題について誤解しています。日本政府は劇物であるフッ化水素をきちんと管理しようとしているだけなのです。実はフッ化水素には、半導体の製造以外にも使い道があります。核兵器の組み立てです。核兵器といえば、日韓の近くにも核兵器の開発を進めている国がありますね。そう、北朝鮮です。そして韓国は、「親北統一派」の文在寅政権……。

北朝鮮もフッ化水素を自前でつくれないので、どこかから調達するしかありません。もし日本の純度の高いフッ化水素が韓国経由で北に流れていたとしたら、日本が間接的に北の核開発を支援していることになり、大問題です。

そうした状況に危機感を抱いた日本政府は、これまで韓国にフリーパスで売っていたフッ化水素をすべてチェック対象としたのです。

韓国は、これまで日本から特別扱いを受けてきました。どんな事情があったかわかりませんが、小泉政権は韓国への輸出を奨励し、韓国を欧米諸国並みの「ホワイト国」に指定しました。今回の安倍政権の措置は、甘かった管理基準を他国並みに戻しただけなのです。

また日本のフッ化水素は北朝鮮だけでなく、イランにも流れている可能性があります。核開発を急ぐイランも経済制裁を受けていますから、日本から正規のルートで購入することはできません。

2018年12月2日、フランスのAFP通信が、「イランと韓国は原油の物々交換取引で合意した」と報じました。韓国がイランから原油を輸入するのと引き換えに、イランは韓国の物品を輸入できるという協定です。詳細はあきらかになっていませんが、もし韓国からイランにフッ化水素が流れていたとすれば、日本は間接的にイランの核開発にも片棒を担いだことになってしまいます。

Q 韓国が破棄をほのめかす日韓GSOMIAとは何か？

③GSOMIA（ジーソミア）の破棄問題

日本とアメリカの間には日米安保条約があります。アメリカと韓国の間には米韓軍事同盟があります。しかし、日本と韓国の間には、同盟関係は存在しません。韓国は竹島を占領中の「潜在的な敵国」でもあります。したがって、韓国軍と自衛隊が一緒に軍事行動をとることはありえません。

しかし、北朝鮮のミサイルなどに対処するためには日米韓での情報共有が必要になります。そこで日韓は２０１６年、軍事情報を提供する際に、第三国への秘密の漏洩を防ぐための協定を結びました。これが日韓ＧＳＯＭＩＡ（軍事情報包括保護協定）です。

具体的にいうと、アメリカが偵察衛星で北朝鮮の核開発の動きを察知した場合、その情報を日韓と共有します。日本の自衛隊機が偵察飛行をしてミサイル発射の兆候を察知したら、それも米韓と共有します。韓国の場合、北朝鮮に入り込んでいるスパイや脱北者から情報が入ってくるので、それも日米と共有します。つまり、日米韓で共通のデータベースをつくるイメージです。

ところが、２０１９年８月、韓国は日本によるフッ化水素などの輸出管理の厳格化を理由に、ＧＳＯＭＩＡの破棄を通告してきました。「日本とは情報共有はしない」と言い出したのです。じつは同年７月、北朝鮮が韓国に対して「日韓ＧＳＯＭＩＡを破棄しろ」と要求しています。文在寅は、北朝鮮の命令通り動いたというわけです。

しかし、〝親分〟であるアメリカは看過できません。韓国がGSOMIAを破棄したら合同の軍事演習もやりにくくなりますし、北朝鮮に隙を与えることになります。そのため、アメリカは韓国に翻意するよう強く迫りました。

2019年の11月23日午前0時にGSOMIAは効力を失う予定でしたが、直前になって韓国は、「破棄の通告を停止する」ことを日本に伝えてきました。「日本が輸出管理を元に戻すのであればGSOMIAは継続する。条件付きの破棄延期だ」というのが韓国の言い分です。

先ほども述べたようにフッ化水素などの輸出管理は、韓国への制裁の意図はありません。日本は反応しようがありませんから、その後も淡々と輸出管理の厳格化を続けました。

GSOMIAをめぐるごたごたが一段落した2019年11月28日、日米韓の危機管理能力を試すかのように、北朝鮮は日本海に向けてミサイルを発射しました。

このとき、日本の海上自衛隊が先に情報を察知して「弾道ミサイルだった」と発表すると、数時間遅れで韓国軍が「大型のロケット砲だった」と発表しました。しかし実際には自衛隊が発表した通り、弾道ミサイルだったのです。このレベルの軍事情報であれば、日本の自衛隊のほうが情報収集能力は高い、ということがあきらかになりました。北朝鮮のミサイル発射は、奇しくも日韓ＧＳＯＭＩＡがなくても日本は困らない、ということを白日の下にさらす結果となったのです。

結局、韓国は自分の投げたブーメランが戻ってきて、顔面を直撃した格好です。

Q 文在寅は、なぜ日韓関係をこじらせるのか？

ここまで並べると、文在寅政権が意図的に日韓関係を壊しにかかっている、というのは客観的事実であると理解できるでしょう。文在寅はなぜ、このような行動をとり続けるのでしょうか。

文在寅政権は学生運動のなれの果て、北との統一を切望する「親北統一派」であることはすでに説明しました。統一の障害となっているのは米韓軍事同盟であり、在日米軍基地の存在です。

そもそも戦後の日韓関係は、１９６５年に朴正熙軍事政権が日本の佐藤栄作政権と結んだ日韓基本条約に始まります。ちょうどベトナム戦争が始まった年でもあり、米国のジョンソン政権の強い圧力のもとで、竹島問題や歴史問題は棚上げにして、「西側陣営」

の一員として日韓は国交を結んだのです。

「親北統一派」から見れば、「アメリカ帝国主義の傀儡である南朝鮮軍事政権が、日本軍国主義者に膝を屈して結んだ条約」であり、存在自体が許しがたいものなのです。

はっきりいいましょう。文在寅政権は、米韓同盟の破棄とともに、日韓基本条約の破棄を望んでいるのです。韓国はもはや「西側」ではない。日米と絶縁して北との統一を望む、ということなのです。こういう政権を、韓国民は選んだわけです。そうなると、日本にできることは何もありません。韓国民の覚醒と、政権交代を静かに待つのみです。

Q 映画『パラサイト』のヒットと、文在寅政権の関係は?

世界中でヒットした韓国映画『パラサイト――半地下の家族』が、2020年のアカデミー作品賞を受賞して話題を集めました。

家族全員が失業中で、その日暮らしの貧しい生活を送っている一家。ある日、長男がIT企業のCEOの豪邸へ家庭教師の面接を受けに行ったのをきっかけに、豪邸にパラサイト(寄生)していくというストーリーです。韓国社会の深刻な「格差」がこの作品の重要なテーマになっています。

『パラサイト』が多くの人にウケたということは、韓国で「格差」が深刻になっていることの裏返しでもあります。なぜ韓国では、格差がここまで拡大したのでしょうか。

話は１９９７年のアジア通貨危機までさかのぼります。

経済面で大きな打撃を受けた韓国がＩＭＦの管理下に入ると、韓国の大手企業は次々と外国資本に買い叩かれていきました。韓国を代表するサムスン電子やヒュンダイといった大財閥の企業でさえ主要な株主は外国資本となり、韓国企業が稼いだお金は欧米の株主の懐に入るようになってしまったのです。

さらに追い討ちをかけたのが、米韓ＦＴＡ（自由貿易協定）の締結です。朴槿恵の前、ヒュンダイ財閥出身の李明博（イ・ミョンバク）大統領が、アメリカのオバマ大統領と交わした協定です。

簡単にいうと、ＦＴＡは関税を取っ払う協定です。貿易自由化、グローバリズムで、アメリカの安い農産物が韓国に一気に入ってきて、韓国人の仕事がなくなってしまいました。その結果、格差が拡大し、「パラサイトの世界」が生まれた、というわけです。

格差が広がることで起きることは、どの国でも一緒です。富の格差や不均衡に不満を感じている人は、「カネをもっている財閥からもっと税金をとって富を分配しろ。福祉を充実させろ」と主張します。つまり、左翼が台頭する環境が生まれるのです。

この流れに乗っかったのが文在寅政権です。労働組合をフル動員して最低賃金を大幅にアップさせるなどの社会主義的政策を実現しましたが、かえって失業率が上昇するなど、経済は低迷したままです。つまり、「パラサイト」的韓国社会の落とし子が、文在寅政権だったのです。

日本でも、リーマン・ショック後の混乱の中で、国民は鳩山民主党政権を選びました。「経済がダメになると国民は選択を間違える」――世界史の法則です。

第3章 超大国アメリカの大転換、大統領選の行方

Q アメリカの大統領選挙の仕組みとは？

2020年11月、4年に1度のアメリカ大統領選挙が行われます。ニュースでも長期間にわたって大統領選にちなんだ話題が頻繁に取り上げられていますが、そもそもアメリカの選挙制度の仕組みはどうなっているのでしょうか。

まずは選挙制度の基本から。アメリカの政治は共和党と民主党の二大政党制です。なぜなら、小さい政党が議席を伸ばしにくい制度になっているからです。

アメリカの選挙制度は、小選挙区制です。1選挙区につき1人しか当選できないため、歴史があり、名の知れた政党（共和党と民主党）のほうが勝ち残りやすく、ポッと出の小さな政党は票をとれません。

こうした完全な小選挙区制を採用している主要国は、アメリカとイギリスだけです。その他の主要国は、日本と同じように比例代表制を導入していて、小さい政党でも、数パーセントの議席は獲得できます。アメリカでは、制度的に二大政党以外の小政党がつけ入るすきがないのです。

次に、大統領選の仕組みについて見ていきましょう。

選挙区は州単位です。本選挙の前には、あらかじめ二大政党が各州で党員大会や予備選を開き、それぞれの党の正式な候補者を決めていきます。各州でそれぞれ候補を選ぶため、当然いっぺんには決まらず、大統領選がある年は、春から州ごとに党員大会や予備選を開催していきます。

11月の本選挙では、１つの州で１人の候補を選ぶ仕組みになっています。現実的には、各州で民主党の候補か、共和党の候補かどちらかに投票します。それぞれの州で得票数の多かった民主・共和両党の大統領候補が、その州に割り当てられた「選挙人」を獲得していき、過半数の２７０を獲得した候補が大統領となります。

ニュースではよく、党員集会や予備選の場で、有権者が長い時間と手間をかけて投票や討議、挙手などを行い、候補者を選んでいく映像が映し出されます。じつは、どのような手順で候補者を選ぶかは州によって異なっています。

アメリカ東部、つまり独立したときからある歴史の古い州では、討議や挙手などで手間をかける傾向があります。まだ人口が少なかった頃、住民が話し合って代表を決めていたので、その慣習が今も残っているのです。一方、もっとドライに投票して、パッパと決める州もあります。

天王山は、3月初旬の火曜日に複数の州で一斉に党大会と予備選が行われる「スーパーチューズデー」です。スーパーチューズデーが終わると大勢が決します。

2020年のスーパーチューズデーは3月3日で、14の州で選挙が開催されました。民主党の予備選ではバイデンが大半の州で選ばれる結果となり、サンダースは撤退を余儀なくされました。このように大統領選は、各州がステップを踏んで候補者を絞っていくので、どうしても時間がかかり、長期戦になるのです。

大統領は2期務めるのが慣例なので、共和党は現職のトランプ大統領とペンス副大統領のコンビで決まり。民主党は、オバマ政権の副大統領だったジョー・バイデンが大統領候補、副大統領候補にはカマラ・ハリス上院議員。父親がジャマイカ出身の黒人、母親がインド人という女性議員で、BLM運動（157ページで詳述）を強く意識した人選です。

Q 民主党と共和党の支持層の違いとは？

大統領選では、各州で大統領候補を1人ずつ選出していきますが、じつは民主党が強い州と共和党が強い州が存在します。

両党にはさまざまな対立軸がありますが、いちばんわかりやすい特徴は、「移民にやさしいかどうか」という点です。

移民が多く住んでいる州は、民主党が強い傾向があります。移民は海を渡ってやってくるので、アメリカ大陸の東海岸（ニューヨークなど）と西海岸（カリフォルニアなど）は移民が多く、民主党が強いエリアです。特にカリフォルニアにはアジア系が多く、移民に寛容な民主党に票が集まります。一方、あまり移民が入ってこない内陸部は、圧倒的に共和党が強いのです。

したがって、どの大統領選挙でも、東海岸と西海岸は民主党、内陸部は共和党が勝利するという傾向があります。

アメリカの地図を民主党が強い州と共和党が強い州に色分けしてみると、国土の多くを共和党の州が占め、選挙で圧勝しそうに見えるかもしれません。しかし、共和党の強い内陸部は人口が少ないので、持っている票が少ないのです。

当然、州によって人口や有権者の数が違うため、各州が１票ずつというわけではありません。たとえば、人口の多いカリフォルニア州は多くの票が割り当てられている一方で、内陸の人口の少ないユタ州に割り当てられる票は少なくなります。

図7 共和党と民主党の支持基盤

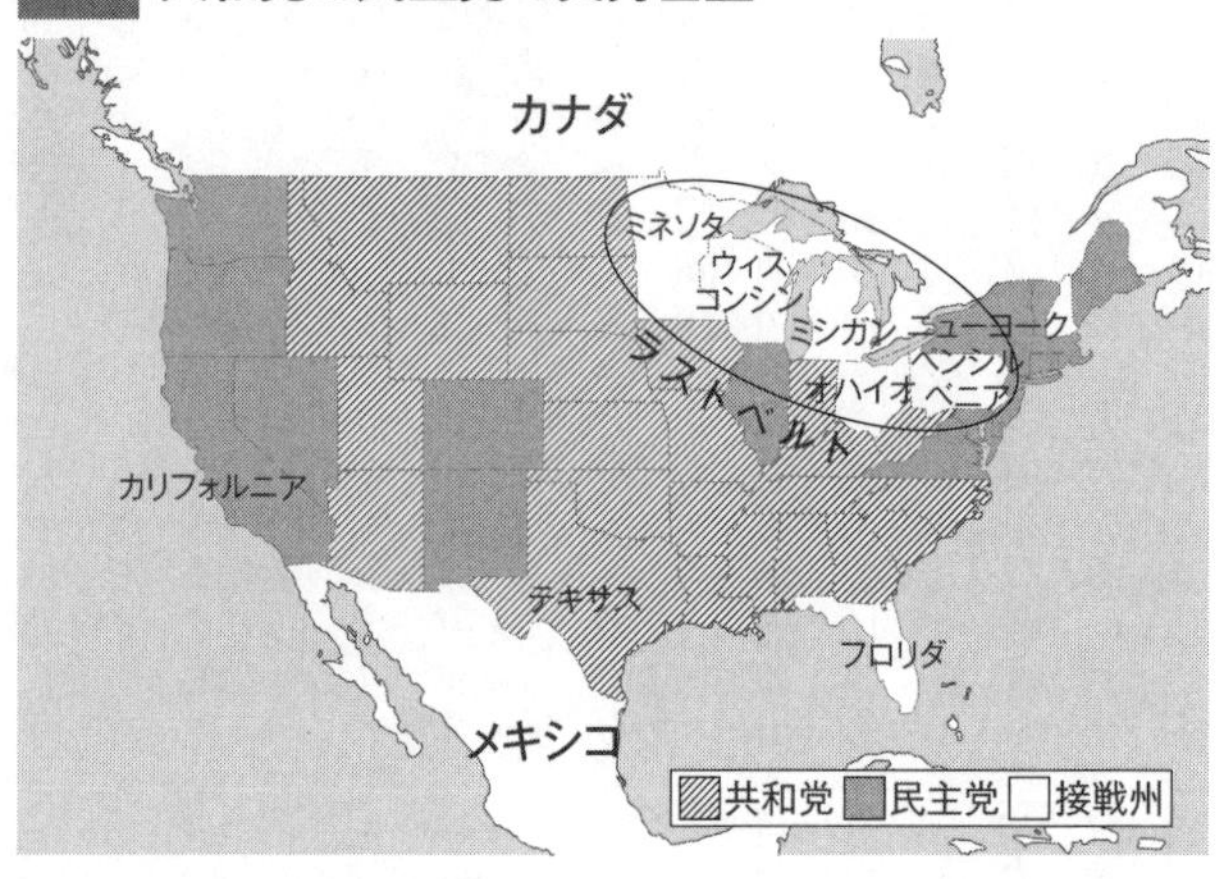

大統領選は、このような仕組みになっているため、共和党と民主党の票が拮抗している接戦州が勝敗を左右します。選挙のたびに民主党が勝ったり、共和党が勝ったりする州を、「揺れ動く」という意味で「スイングステート」と呼びます。フロリダ州、オハイオ州、ペンシルベニア州、ミシガン州などが有名です。

民主党が強い州では、共和党がどんなに頑張っても勝利できず、反対に共和党の強い州では、民主党はその牙城を崩すことはできません。候補者は、票の固まっている州でひっくり返そうとしても骨折り損になるため、フロリダ州やオハイオ州といったスイングステートを重点的に訪問し、有権者にアピールする戦術をとっています。

Q トランプ政権誕生の遠因となった格差社会とは？

ＣＯＶＩＤ－19のパンデミック（世界的流行）は、ヨーロッパだけでなく、アメリカ社会にも大きな混乱をもたらしました。

それまで景気を回復させて絶好調だったトランプ政権も、ＣＯＶＩＤ－19の影響がアメリカ経済を直撃し、さらには白人警官による黒人暴行死事件をめぐる抗議デモが起こると、その対応のまずさから支持率が急落しました。２０２０年11月の大統領選挙にも暗雲が垂れこめています。

今後のアメリカの未来を占うために、そもそもトランプ政権が支持されてきた背景と理由を振り返っておきましょう。

現在アメリカが抱えているさまざまな問題は、ブッシュ・ジュニア政権時代の２００８年９月に発生した「リーマン・ショック」に端を発しています。

１９８９年に米ソ冷戦が終わってからクリントン政権（１９９３～２００１年）までは、アメリカの経済は絶好調でした。まるで日本のバブル時代を彷彿とさせる盛況ぶりで、あり余るお金がどんどんニューヨークに流れ込んでいました。

ニューヨークの投資家（国際金融資本）は、そうした資金を広く集めて、元手の何十倍、何百倍というお金を動かしていました。これを「レバレッジ（梃子）を利かせる」といいますが、金融工学という専門知識を駆使してうまくいくとボロ儲けできる一方、失敗したらリスクも何十倍、何百倍に膨らみます。投資家たちはこうして荒稼ぎをしていたのです。あり余る資金は発展途上国、特に巨大市場の中国に流れ込みました。中国経済が急成長し、GDPで日本を追い抜いて米国に次ぐ世界第2位になった、と発表したのが、2010年のことでした。

住宅価格もうなぎのぼりで、金融機関は顧客に「住宅ローンを組みましょう」と盛んに営業していました。本当は家など持てない経済的信用度が下の層（サブプライム層）にも積極的にローンを組ませていたのです。「サブプライム」とは、経済的信用度が優良（prime）より下（sub）の層という意味です。

金融機関の営業マンは、サブプライム層の人たちに対して「あなたもマイホームをもてますよ。最初の5年間の金利はたった5％です」と口説き、住宅ローンを組ませました。

一見、お得に感じるかもしれませんが、実はハイリスクの住宅ローンだったのです。5年を過ぎたら金利が10%、15%、20%と上がっていく仕組みになっていました。不安に感じた顧客に、営業マンはこういって説得しました。

「金利が上がる前に、この家を売れば大丈夫です。そして、売却した資金で新しい家を買って、5%の住宅ローンを契約すればいい。また金利が上昇するタイミングが来たら、同じように家の売買を繰り返す。つまり、5~6年ごとに新しい家に住み替えることができる。すばらしい人生ではないですか！」

これは一種の詐欺です。「今まで住んでいた家が、新しく買う家よりも必ず高い値段で売れる」という前提条件があって初めて成立する商品だったからです。

ところが、その前提条件が崩れてしまいました。手当たりしだいに住宅をつくりまくった結果、不動産バブルとなり、ついに住宅価格が暴落してしまったのです。

サブプライム層の人たちは、住宅の値段が下がってしまったので今まで住んでいた家が売れない……新しい家にも移れない……ぐずぐずしていたら金利も上がってしまい、ローンが払えない……という事態に陥りました。結局、ローンを払えなくなり、住んでいる家を担保にとられて、まさに身ぐるみはがされる人が続出したのです。

こうした不動産バブルの崩壊は、金融の世界にも大きな衝撃を与えました。金融機関がサブプライムローン債権を証券化し、金融商品として取引していたからです。サブプライムローン債権を株や金、石油などとセットにし、投資信託のような金融商品をつくって販売していたのです。

サブプライムローン債権は、さまざまな金融商品に広く浅く、紛れ込んでいました。まるでCOVID−19のように、人知れずいわくつきのサブプライムローン債権が世界中に広がってしまっていたのです。

サブプライムローンの問題が明るみに出ると、金融関係者はパニックに陥りました。「どこにサブプライムが紛れ込んでいるかわからない。すべての金融商品が危ない!」と、世界中の投資家が一斉に金融商品の売却に走ったのです。結果、リーマンブラザーズというニューヨークの大手投資会社が倒れ、連鎖倒産が始まってしまいました。

当時のアメリカの大統領はジョージ・W・ブッシュ(ブッシュ・ジュニア)でした。ブッシュ政権は「このままだと世界恐慌になってしまう」と、政府が大手金融機関に公的資金を投入しました。結果として世界恐慌を防ぎ、アメリカ経済もなんとかもちこたえたのですが、家を失った人たちは怒りが収まりません。

「一文なしになった俺たちを見捨て、騙した銀行を救済するとはどういうことだ！」

そうした米国民の怒りが、オバマ民主党政権を生む大きな要因となったのです。

Q オバマ政権が不評を買った理由とは？

リーマン・ショックの犠牲になった人たちにとって、オバマ政権は希望の星でした。オバマが「Change! Yes,We Can!」と力強いスピーチをしたとき、涙を流すほど感動を覚えた人がたくさんいました。

ところが、オバマ政権の8年間（2009～2017年）で、アメリカは何も変わりませんでした。それどころかアメリカの貧富の格差はますます広がり、格差問題は深刻さを増したのです。

オバマ大統領は、たしかにスピーチは超一流でした。しかし実際は、アメリカを何ひとつ変えることができなかったのです。

オバマ政権の唯一といえる目玉政策は、「オバマケア」という保険制度でした。アメリカには公的医療保険制度がなく、国民は日本のように政府発行の保険証を持ってはいません。アメリカ人は民営企業の保険に加入しなければならないのです。

アメリカ国民は、○○ラックなどの民間の保険会社と契約し、高い保険料を毎月払わなければなりません。民間保険に入っていれば医者にかかったとき少ない負担ですみますが、保険に加入できない貧困層は、ろくに医療を受けることができません。いざ病気になって医者にかかれば医療費の全額を請求されてしまうため、病気にならないことを祈りながら生きていくしかありません。

日本なら医療費の自己負担は原則3割、7割は国が負担してくれます。たとえば、病気を治療するための注射が1万円だとすれば、3000円ですみます。

アメリカの場合、保険に加入していない貧困層は全額負担ですから、虫歯になっても気軽に歯科医院に行けません。盲腸になったら病院に行けず、死んでしまうこともあります。もし救急車を呼んでも、「医療保険に入っていますか。保険証を見せてください。保険に入っていないなら運べません」と断られてしまう、恐るべき世界です。

こうした現状を変えるべく、オバマは日本のような国民皆保険制度「オバマケア」をつくるとぶち上げました。ところが、保険会社による猛烈な反対運動が巻き起こります。国の医療保険制度ができると、民間の保険会社は儲からなくなるからです。

オバマ大統領は〝ヘタレ〟、さっさと当初のプランを諦めてしまいました。その代わり、こういったのです。

「国民の皆さん、全員、民間の保険会社に入りましょう。保険料を払えない人は税金で補填します」

こうしてオバマケアは骨抜きにされ、民間の保険会社を儲けさせたのです。オバマケアをめぐる不甲斐なさこそが、オバマ大統領の本質でした。

チェコのプラハを訪問したオバマは、「核のない世界を目指す！」と演説してノーベル平和賞をもらいましたが、ロシアや中国と実効性のある核軍縮交渉をしたかといえば、何もありません。ロシアとの核ミサイル削減条約は、以前から決まっていたものです。要は、素晴らしい演説をしただけ。一事が万事この調子だったのです。

オバマ大統領が退陣するとき、「もう民主党政権には騙されない」と多くのアメリカ国民が心に決め、次の大統領選でトランプに票を投じたのです。

Q トランプが大統領になれた真の理由とは？

2016年の大統領選では、保守的で共和党寄りのFOXニュース以外の全マスメディアが共和党候補者のトランプを叩きました。「あれほど無知で、下品で、差別主義者の人物を大統領にしたら、アメリカの恥だ」と大々的にキャンペーンを打ちました。

トランプを叩いたマスメディアのバックには、スポンサーである証券会社や銀行、つまり国際金融資本がついていました。もともと世界規模で自由に商売をしたい国際金融資本は、グローバル志向の民主党を支持しています。特にオバマのように〝何もしない大統領〟のほうが、自分たちのやりたい放題にでき、甘い汁を吸えるからです。

一方のトランプは、はじめからそうした国際金融資本とマスメディアの蜜月関係を見抜いていたので、「メディアの情報はすべてフェイクニュースだ。俺はマスメディアなんか信用しない」といって、徹底的にメディアを批判しました。

トランプはもともと不動産王の実業家ですから、多額の選挙資金を工面できました。政治献金に頼ることなく、自家用ジェット機でアメリカ中を飛び回り、党員集会や予備選を自腹でネット中継してみせました。

それでも投票の直前まで、「トランプのような泡沫候補は絶対負ける」というのが大半のアメリカ人の見立てで、日本のメディアもそれを鵜呑みにしていました。

ところが、ふたを開けてみれば、トランプが民主党候補のヒラリー・クリントンを破り、大統領に就任しました。まさにインターネットが既存のマスメディアに勝利したのです。

就任から4年が経とうとしている今も、トランプは大手マスメディアと全面的に対決しています。トランプの武器はツイッターです。直接、国民に語りかけています。

大統領就任式でトランプはこういっています。

「これまでは少数の者がアメリカを支配してきた。しかし、今日変わった。アメリカ国民がアメリカの主導権を取り戻した。これからアメリカ人の雇用を取り戻すために、オバマ政権が野放しにしてきた不法な移民は厳しく取り締まり、メキシコとの国境にグレートウォールをつくる」

「グレートウォール（Great Wall）」は、英語で「万里の長城」を意味します。

そして、トランプは「アメリカの工業を蘇らせる」とも宣言しました。「アメリカの工業が衰退したのは、中国や日本、韓国、ヨーロッパから安い商品がアメリカに入ってくるからだ。それを止めるために関税をかける」と。

結局、トランプの宣言通り、アメリカ人は雇用を取り戻し、株価も上がり続けました。具体的には、メキシコからの不法移民の流入を止めて、中国やメキシコなど外国に工場をもつアメリカ企業に、税制面での優遇をエサに国内で生産するように促しました。メキシコの工場で車を生産していたトヨタも、アメリカの工場に多額の投資をし、雇用を増やすことを約束しました。

トランプは見事に公約を守りました。が、それも新型コロナウイルスCOVID－19のパンデミックが起きるまでの話ですが……。

Q 米中貿易戦争が勃発した原因は何か？

ついに「米中冷戦」が始まった――。

最近こうした言葉を耳にするようになりました。2018年3月以降、貿易戦争で激しい応酬を繰り広げていたアメリカと中国ですが、COVID－19の感染爆発や香港問題を受けて、その確執はさらに深刻さを増しているように見えます。

まずは米中貿易戦争が勃発した原因から見ていきましょう。

政権発足当初は、トランプは習近平に寛容な姿勢を見せていました。「あなたは立派なリーダーだ」とおだててみせたり、2018年、史上初の米朝首脳会談の実現に向けて「北朝鮮を交渉のテーブルに引きずり出すから、中国にはサポートしてほしい」などと協力を要請したりもしました。

　ところが、もともと中国は北朝鮮をコントロールできていません。多くの人は中国と北朝鮮は仲間同士という認識をもっているようですが、誤解です。北朝鮮は国是として「反中」の立場です。ただ、「韓国からの米軍撤退」という一点で、中朝は利害が一致しているだけなのです。

　もし北朝鮮が本当に中国を頼りにしているのなら、北朝鮮は核開発を急いだりしません。核保有国である中国との軍事同盟で事足りるはずです。中国がいざというとき守ってくれないと確信しているからこそ、北朝鮮は自前の核兵器やミサイルの開発に躍起になっているのです。

　実際、中国は米朝の関係改善に積極的に協力することはなく、２０１９年2月にベトナムのハノイで行われた米朝首脳会談以降、両国の交渉は進展していません。

　世界の覇権争いでも、習近平はアメリカを挑発し続けてきました。

　中国の習近平は２０１４年に「一帯一路計画」をぶち上げて、ユーラシア大陸西部からアフリカにまで触手を伸ばしています。

一帯一路とは、アジアとヨーロッパを陸路（一帯）と海上航路（一路）でつなぐ物流ルートをつくって貿易を活発化させ、経済成長につなげようという巨大経済圏構想です。しかし単なる経済圏ではなく、中国軍の拠点となりうる鉄道や港湾などへのインフラ投資を通じて、軍事的にも中国圏を広げるのが真の目的です。これには莫大な資金が必要となり、中国政府の財政力だけではまかないきれません。

そこでこの「一帯一路」計画を支える国際金融機関として、北京に「ＡＩＩＢ（アジアインフラ投資銀行）」を設立しました（２０１５年）。アメリカ主導の世界銀行や、日本主導のアジア開発銀行に対し、中国主導で西側諸国にも出資を募り、アジア・アフリカ諸国の公共事業に莫大な投資をしようという計画でした。

世界銀行やアジア開発銀行に比べ、ＡＩＩＢは融資の審査が甘いということから、アジア・アフリカの途上国は融資を求めてこれに群がり、投資のリターンに期待して欧州諸国もこれに参加しました。しかし、アメリカのトランプ政権と日本の安倍政権は、参加を見送りました。中国は「ドアはいつでも開いている」と日本に参加を促し、日本のマスメディアは「バスに乗り遅れるな！」と大合唱しました。

日米の不参加でＡＩＩＢには十分な資金が集まらず、貸し手より借り手のほうが圧倒的に多いいびつな構造になりました。不十分な審査で融資を受けた国では、環境破壊などの問題を引き起こし、また債務不履行に陥った結果、たとえばスリランカでは、港湾の99年間の使用権を担保として中国企業に差し押さえられるという事態も起こっています。

ヨーロッパでは財政破綻の常連国ギリシアが「一帯一路」に参加し、首都アテネのピレウス港の埠頭建設に中国企業が莫大な投資を行いました。２０１９年３月には、Ｇ７の中では初めてイタリアが中国と「一帯一路」構想に参画し、中国に投資を求めるという事態になりました。

習近平が、「ユーラシア大陸とアフリカは中国の勢力下におく。だから、アメリカは引け」という無言のメッセージを打ち出すようになると、トランプ政権は、「一帯一路」構想を警戒するようになりました。

一方で、中国は太平洋の西部にある南シナ海に積極的に進出し、アメリカの海上権益を脅かしています。南シナ海は、世界有数の通商航路であると同時に、天然ガスなどの豊富な天然資源が眠る海域です。

２０２０年４月、アメリカをはじめ世界各国が、ＣＯＶＩＤ－19の感染爆発に混乱しているのに乗じて、中国は東南アジアの沿岸諸国が領有権を主張する南シナ海に「西沙区」と「南沙区」という新たな行政区を設けました。どさくさにまぎれて実効支配を強化する中国の動きに、各国が反発しています。

中国による、一連の世界の覇権をうかがうような振る舞いを、いよいよアメリカは黙認できなくなりました。そこでトランプがしかけたのが、米中貿易戦争なのです。

Q 米中関係の悪化は、元に戻らないのか？

米中対立がただの貿易問題であれば、どこかで妥協点を見出せます。かつて日米間でも、半導体、牛肉とオレンジなど、様々な貿易問題が起こりましたが、すべて解決してきました。しかし今回の米中対立は、そんな次元の話ではないのです。

米中関係の将来を示唆する非常に重要なスピーチを、マイク・ペンス副大統領がしています。２０１８年10月にハドソン研究所で行われた彼の講演を要約してみましょう。

「アメリカと中国は、１８４０年のアヘン戦争以来、とても良い関係を築いてきた。アメリカは中国を武力で侵略したことは一度たりともないし、中国の自由と開放を願ってきた。日本との戦争ではアメリカは中国を支援した。

ところが、１９４９年に、共産党政権ができた。中国は当時のソ連側につき、アメリカと敵対した。朝鮮戦争では米中は戦火を交えた。

幸い、米中の対立は短い期間で終わり、１９７２年にニクソン大統領が訪中して以来、再び中国はアメリカ側についてくれた。１９８０年代以降、改革開放政策をとった中国は、アメリカの投資によって大発展を遂げた。我々はこう思っていた。中国が国を開放し、自由主義のすばらしさを理解できれば、やがて中国は独裁政治をやめて、アメリカと同じような自由民主主義国家に変わっていくだろう、と。

我々は期待して中国の変化を待ったが、それは間違いだと今わかった。アメリカのこれまで１００年以上にわたる政策は、根本的に間違っていた。

中国は我々の技術を盗み、不正に安い商品を売りつけて、アメリカの産業を破壊した。アメリカの国内政治にも手を突っ込んできて、マスメディアや大学に資金を提供し、中国の言いなりになるような学生やジャーナリストを支援した。また、我々の選挙にも干渉し、民主党が有利になるように、さまざまな工作を行った。

中国国内においては、あらゆる宗教を禁じ、チベット仏教徒とウイグルのムスリムと、クリスチャンを弾圧している。アメリカはそのことをすべて知っている。膨張政策も目に余る。南シナ海に軍事拠点をつくり、友好国である日本の尖閣諸島に対しても領海侵犯を繰り返している。

中国は前回（2016年）の大統領選挙でトランプ大統領の敗北を願っていた。しかし、我々の答えはこうだ。トランプ大統領は、決して屈しない」

ペンスはここで、「中国共産党政権の価値観は、アメリカとは相容れない。彼らはアメリカの脅威となるから、もはや容赦しない」とはっきり宣言したのです（ペンス演説の詳細については、小著『米中激突の地政学』〈WAC出版〉で分析しています）。

もちろんこれはペンス副大統領の個人的見解ではなく、トランプが中国に向けて発した明確なメッセージです。

2020年8月には、ポンペオ国務長官がニクソン大統領図書館で演説し、さらにストレートな表現で中国共産党政権を非難しました。

「(米中和解に踏み切った) ニクソン大統領は、中国を自由世界に開放したことでフランケンシュタインをつくってしまうのではないか、と危惧していたが、今まさにそうなってしまった」

「中国共産党がマルクス・レーニン主義の政権であることを忘れてはならない。習近平総書記は、破綻した全体主義イデオロギーの信奉者なのだ……アメリカはもはや、国家間のイデオロギーの違いを無視することはできない」

ポンペオ演説に先立って、トランプ政権はテキサス州ヒューストンの中国総領事館の閉鎖と、領事館員の退去を命じました。同領事館が、米国におけるスパイ活動の拠点となっている証拠をつかんだ、という理由からです。

退去期限が迫った総領事館の中庭では、ドラム缶に大量の書類が投じられ、焼却されました。もうもうと煙が立ち上り、消防車が出動しましたが、総領事館側は立ち入りを拒否しました。スパイ活動の証拠隠滅を図ったのはバレバレです。対抗手段として中国は、四川省成都の米国総領事館の閉鎖を命じました。

米中間で行われている一連の応酬は、これが単なる貿易戦争ではなく、世界の覇権をかけた争い――まさに「米中冷戦」に突入したことを物語っています。

第二次世界大戦後、米ソ冷戦によって世界は二分されました。今回の米中冷戦も世界の国々を巻き込みながら、少なくとも今世紀半ばまで続く可能性があります。各国は、どちらの陣営につくのか、踏み絵を踏まされることになるのです。

日本はアメリカの同盟国であり、中国主導のＡＩＩＢには加盟していません。当然、アメリカ側につくと思いきや、自民党政権内にもこの期に及んで「中国との友好」を唱えて習近平の国賓来日を推進する有力者がいたり、また経団連に加盟する大企業が、中国に新たな工場を建設する、と発表したりしています。中国の工作活動は日本の政財界トップにまで及んでいるのです。在日中国領事館を調べれば、いろいろなリストが出てくるでしょう。しかし日本にはスパイ防止法がないため、何もできません。このような「叩けばホコリが出る」政治家が与野党問わずうじゃうじゃいて、今後も「スパイ防止法反対！」と言い続けるでしょう。

Q アメリカ大統領選を揺るがす「ロシアゲート」VS「チャイナゲート」とは？

２０２０年11月のアメリカ大統領選挙。この選挙でトランプが敗れて、民主党のバイデンが勝利したら、米中冷戦は緩和される——習近平はそれを熱望しています。

民主党はいわゆる「ロシアゲート」疑惑でトランプを攻撃し続けました。

これは、トランプが当選した2016年の選挙で、民主党のヒラリー・クリントンが負けるように、ロシアの情報機関がアメリカ国内で世論工作を行った、という疑惑です。民主党の言い分はこうです。

「トランプ本人が関わっていたに違いない。あれは不正選挙であって、本来トランプは勝てるはずがなかった。ロシアの世論工作のおかげで勝てたんだ」

民主党とマスメディアは連日大騒ぎし、トランプを弾劾裁判の直前まで追い詰めましたが、共和党が多数派を握るアメリカ議会（上院）は、弾劾を否決しました。

たしかにロシアの情報機関が世論工作をしていたことは事実でした。しかしどれだけ調べても、トランプ本人が直接ロシアから何らかの指示を受けていたとか、ロシアに対してトランプが何らかの働きかけをしたといった証拠は一切出てきませんでした。反撃に移ったトランプは、「ロシアゲートはオバマ政権によるでっちあげ、オバマゲートだ」と主張しています。

一方、民主党サイドがチャイナマネーを通じて、中国共産党とズブズブの関係である証拠は存在しています。たとえば、ヒラリー・クリントン財団が、中国から多額の資金を提供してもらっていることは有名な話です。つまり、2016年の大統領選挙では、中国は民主党を、ロシアは共和党を応援していたというわけです。

2020年の民主党の大統領候補ジョー・バイデンは、オバマ政権の副大統領時代に息子ハンター・バイデンを連れて中国を訪問しました。その直後、ハンター・バイデンが設立した投資会社に、中国の銀行から10億ドル（約1100億円）が振り込まれました。これを「買収」といわず、何というのでしょう？

このように、民主党指導部は腐りきっています。しかしすべての民主党員がそうというわけではありません。中国に対する関税引き上げ法案、香港やウイグルでの人権抑圧に加担している人物の在米資産凍結など金融制裁法案には、共和党、民主党を問わず賛成しています。一人ひとりの議員は、まともな判断のできる人物がたくさんいるのです。

Q バイデンの「ウクライナ疑惑」とは何か？

民主党はトランプの「ロシアゲート」を追及して不発に終わりましたが、逆に共和党トランプ政権側から「ウクライナゲート」を追及されています。

この疑惑も、ハンター・バイデンと関係しています。

父親のバイデン副大統領とともにウクライナを訪問したハンターは、ウクライナの天然ガス会社の取締役となり、月5万ドル（約536万円）の報酬を得ていました。

「反ロシア」を掲げていたウクライナの政権は、「親ロシア」のトランプに対抗して、民主党に擦り寄ったのです。息子に利権を与える代わりに、「お父さん（ジョー・バイデン）にくれぐれもよろしく」というわけです。

しかしウクライナの政権交代により、ウクライナ検察が汚職疑惑で例の会社の捜査に乗り出します。するとバイデン副大統領が、ウクライナの検察官の解任を要求したというのです。

この疑惑を知ったトランプは、ウクライナ新大統領との電話会談で、バイデンの捜査を徹底的に進めるよう働きかけます。つまり、2020年の大統領選でライバルとなるジョー・バイデン候補に対する「切り札」を握ったのです。オバマ政権で副大統領を務めていたバイデンの失墜を狙ったものと考えられます。

Q 予備選でバイデンに敗れたサンダースとは何者か？

アメリカの大統領選挙は、共和党のトランプと民主党のバイデンの一騎打ちという構図になっています。

2020年6月、民主党の候補はバイデンに一本化されましたが、最後まで指名争いを繰り広げていたのが、バーニー・サンダースという人物です。

サンダースはもともとベトナム戦争の頃に、戦争に反対する学生運動に参加していました。「アメリカは大企業に支配されている独占資本主義の国だから、企業の利益のための戦争を引き起こす。社会主義の国に変えなければいけない」というのが持論の、筋金入りの社会主義者です。そういう意味ではアメリカの文在寅といえるかもしれません。

先述したように、リーマン・ショック以降、アメリカ社会は貧富の差がさらに拡大しました。したがって、富裕層を批判するサンダースは貧困層から熱狂的な支持を集めていました。とくにサンダースは、奨学金のローンで苦しんでいる学生に対して返済をチャラにするという政策を掲げていたため、経済的に困窮する学生から大変人気があり、選挙集会には若者が集まりました。

つまり、民主党はお金持ちとズブズブのジョー・バイデンと、「金持ちをぶっ倒せ」と主張するサンダースの両極端の候補が指名争いを繰り広げていたことになります。

じつは、トランプを支持している層と、サンダースを支持する層は重なっています。

トランプは不法移民の制限や関税によって雇用を増やすといっているのに対して、サンダースはお金持ちの課税を強化して貧困層に富を分配するといっています。

「アメリカファースト」のもと、ナショナリズムを前面に押し出しているトランプは、統制経済には反対で、企業は勝手に儲けるべきだという立場。「自由経済＋ナショナリズム」を志向しています。

一方のサンダースは社会主義者ですから、統制経済を志向しています。しかも、トランプとは正反対で、国境はオープンにしてもよいという立場です。社会主義者はある意味、理想主義者なので、困っている移民はどんどん入れるべきだというわけです。サンダースは、「統制経済＋グローバリズム」です。

トランプとサンダースとは政策は真逆ですが、狙っている支持層は同じ。「金持ちが敵」という点で、トランプとサンダースは似ているのです。

したがって、もしサンダースが民主党の大統領候補に指名されていたら、トランプは戦いにくかったはずです。もし両者が対決していたら、トランプはサンダースに対して「あなたは赤（社会主義者）だ。アメリカを統制国家にするのか」と叩いていたでしょう。

一方、サンダースはトランプに対して、「あなたは右翼だ。自分の国のことしか考えていない」と攻撃していたはずです。コロナ禍で失職した人々はサンダースに流れて、トランプは苦戦していた可能性があります。

しかし民主党予備選で苦戦したサンダースが撤退し、バイデンが民主党の候補に指名されました。

バイデンは統制経済には反対で、自由経済を推す立場です。ここはトランプと同じですが、グローバリズムの点で異なります。移民はウェルカムという立場です。したがって、バイデンは「自由経済＋グローバリズム」なので、バイデンとトランプの選挙戦はグローバリズムの是非が大きな論点となります。

となると、超富裕層はバイデンを支持し、貧困層はトランプを支持する構図となります。トランプは必ず「ジョー・バイデンは特権階級のロボットだ」などと攻撃して選挙戦を有利に進めるでしょう。

Q トランプ大統領の再選は既定路線なのか？

歴史的に見ると、アメリカの大統領選は、現職の大統領のほうが圧倒的に有利です。何らかの事情がないかぎり、基本的に2期8年間務めるのが既定路線といえます。1

期で終わったのは、近年でいえば１９８９年に就任したジョージ・Ｈ・Ｗ・ブッシュ（父ブッシュ）が最後です。

ブッシュが再選を逃した原因は、米ソ冷戦を終わらせたことでした。

それまではソ連の共産主義に対抗することで求心力を保っていたのですが、冷戦を自らの手で終わらせたことにより、急激に国民の支持を失うことになりました。冷戦終結後、さっさと国内政策重視の姿勢を打ち出せば延命できたのかもしれませんが、うまくいきませんでした。

さらにさかのぼれば、民主党のジミー・カーターは、１９７８年のイラン革命が引き金となり、大統領の座を譲る結果となりました。イラン革命を止められなかったばかりか、アメリカ大使館人質事件も首尾よく解決できず、国民の支持を失いました。また、民主党のジョン・Ｆ・ケネディは１期目の任期中に凶弾に倒れました。

２０２０年の初めまで、トランプの再選が有力視されていました。株価や経済も絶好調でしたから。しかし、コロナ禍による経済の落ち込みで、状況は混沌としてきました。

もしもアメリカ経済がこのまま落ち込み、経済危機が起きるとすれば、トランプ大統領は分が悪くなります。経済危機のような非常時には、弱肉強食の自由主義経済では、最下層の人々は見捨てられます。サンダースのような社会主義的統制経済、富の再分配を人々は支持するようになるのです。かつて世界恐慌下で行われた1932年の大統領選挙で、共和党の現職フーヴァー大統領が敗れ、民主党のF・ローズヴェルトが当選して「ニューディール政策」を打ち出しました。政府が市場経済に積極的に関与し、公共事業をバンバン行うなど、統制経済を実施して喝采を浴びたのです。

トランプ政権はコロナ対策として、史上空前の財政出動を行いました。状況によっては、ニューディール的公共事業を打ったほうがいいかもしれません。金持ちバイデンとの違いをアピールするには、低所得者層に寄り添う姿を見せるのが有効です。

Q 「フロイド事件」で明るみに出た人種差別問題とは?

コロナ禍の2020年5月、全米各地で連日、人種差別に抗議するデモや暴動が発生しました。きっかけは5月25日、アメリカのミネソタ州で、偽札を使ったとして逮捕された黒人男性ジョージ・フロイドさんが、白人警官に路上で押さえこまれ、膝で頸動脈を圧迫されて窒息死した事件です。その一部始終をスマホで一般人が撮影していたことから、動画が全米、全世界へと拡散され、「人種差別だ!」との非難の声が上がったのです。

この事件が大問題になったのは、アメリカ社会では黒人であるというだけで職務質問され、些細なことで逮捕されるという事案が無数にあったからです。コロナ禍による都市封鎖（ロックダウン）で多くの黒人が失職し、フラストレーションが溜まっていたことも火に油を注ぎました。

はじめは静かな抗議と追悼のデモでした。ところが一部の過激派が騒ぎ始め、これに社会的不満を持つ若者が便乗して、商店の略奪や焼き討ちも各地で発生しました。

さらには歴史的記念物にも攻撃が加えられ、南北戦争時に奴隷制擁護を掲げた南部連合の政治家、軍人の像が倒されたり、落書きされたりしました。また、奴隷を使っていたという理由で、アメリカ建国の父とされるジョージ・ワシントン像やトマス・ジェファソン像、さらにはアメリカ大陸に奴隷制を持ち込んだという理由でコロンブス像まで襲撃対象になったのです。

これらの運動を総称してＢＬＭ（Black Lives Matter）運動といいます。「黒人の命の問題」という意味で、２０１３年から始まっていました。何か統一的な司令部があるのではなく、ネットでつながる自然発生的なムーブメントです。ですから、さまざまな思想の人が参加していて、歴史的記念物の破壊を主張する過激派も混ざっているのです。最も過激な集団はアンティファ（Anti-Fascist「反ファシスト」の略）と自称し、指導者は公然と「マルクス主義者」を名乗って警察組織の解体を掲げています。

リベラル色が強い西海岸のオレゴン州ポートランドでは、アンティファ集団が街の中心部を占拠して警察を追い出し、自治区（コミューン）をつくりました。民主党のインスリー州知事はこの運動に「理解」を示して放置したため、トランプ大統領は国土安全保障省の治安部隊を投入して、これを制圧しました。

民主党は「過剰警備だ」とトランプを非難し、BLM運動を選挙戦に利用しようとしています。香港制圧に躍起になっている中国共産党も「トランプだって国民を弾圧しているではないか」と政治宣伝に使っています。中国共産党がBLM運動に資金提供している疑いもあります。ヒューストンの中国領事館が閉鎖された事件は、これと何か関係があるのかもしれません。

コロンブスが先住民を奴隷化したのは事実ですし、ワシントンやジェファソンが奴隷制大農園のオーナーだったのも事実です。これらの事実をなかったことにして、「新大陸発見の英雄」だの、「建国の父」だのと持ち上げるのは、バランスを欠きます。

だからといって、歴史的記念物を破壊するのは愚かなことです。記念物を破壊したからといって、不愉快な歴史を書き換えることはできません。記念碑は残し、その下にプレートをつけて、「この人物は奴隷を使っていた」と事実を記せばよいのです。

１９６０年代の中国では「文化大革命」の嵐が吹き荒れ、多くの貴重な文化財、歴史的記念物が、「封建制度の遺物」として破壊されました。韓国では、日本統治下につくられた朝鮮総督府をはじめとする歴史的建造物が、「日帝残滓」として破壊されています。ＢＬＭ運動がこうならないことを祈ります。

Q ひそかに囁かれる「テカムセの呪い」とは？

２０２０年の大統領選に関して、ひそかにささやかれている噂があります。

２０２０年に選ばれた大統領は任期をまっとうできないかもしれない……というものです。この噂話は「テカムセの呪い」に由来します。これは、西暦で20の倍数の年に選出されたアメリカ大統領は災難に見舞われる、というものです。

１８１３年、アメリカ先住民であるショーニー族のテカムセ酋長が、領土を白人に奪われた末に、ティピカヌーの戦いでウィリアム・ハリソンに殺されました。そのテカムセの呪いが歴代のアメリカ大統領に災いをもたらしている、とされています。

この呪いは、1840年の大統領選で就任したハリソンの死から始まりました。翌年、ハリソン大統領は肺炎によってこの世を去りました。

1860年に就任したリンカーン大統領は暗殺。1880年に就任したガーフィールド大統領も暗殺。1900年に就任したマッキンリー大統領も暗殺。1920年のハーディング大統領は心臓発作で死去。1940年のフランクリン・ルーズベルトは4期目に脳卒中で死去。1960年のジョン・F・ケネディ大統領は暗殺……。

ハリソン大統領以来、20年ごとに選ばれた大統領が、全員任期途中で亡くなっているのです。

初めての例外が1980年に就任したロナルド・レーガン大統領です。1981年に銃撃されたものの、急所を外れて一命をとりとめ、任期を満了しました。2000年のジョージ・W・ブッシュ大統領も、2005年にグルジアで演説中、投げつけられた手投げ弾が不発に終わり、危機一髪のところで命拾いし、任期をまっとうしています。

「テカムセの呪い」は単なる偶然であって〝ネタ〟にすぎないという論調が主流である一方で、いまだに呪いを信じる人も少なくありません。

２０２０年に選ばれた大統領がどうなるか……。

大統領選が近づくにつれ、話題にのぼる機会も増えそうです。人の不幸をネタにするのは不謹慎ですが、トランプ（74歳）もバイデン（77歳）もご高齢で、何があってもおかしくありません。本選挙の1カ月前というタイミングでトランプが新型コロナCOVID－19に感染し、隔離されたことは、NY株価を急落させるほどの衝撃を与えました。幸い、事なきを得ましたが、もしトランプが不幸にも亡くなることがあれば、憲法の規定により例のペンス副大統領が大統領の座につきます。彼は、トランプ以上に強面で強硬派ですから、アメリカの外交方針が方向転換するようなことはないでしょう。

Q ベネズエラで起きている権力争いとは？

近年、アメリカのお膝元である中南米がきな臭くなってきています。とくに、ベネズエラが今、混乱の渦中にあります。

ベネズエラにかぎらず、中南米の国々は「独立国」とは名ばかりで、実質的にアメリカの経済支配下にあります。地下資源や鉄道などのインフラの多くをアメリカに握られてきたという歴史的背景から、すさまじい貧富の格差が生じています。

したがって、「アメリカを追い払って、富の分配をしよう」という社会主義的な政策が国民にウケます。米ソ冷戦中の中南米には、親ソ連の社会主義政権がいくつも誕生しました。その代表格が、キューバのカストロでした。

ベネズエラも、反米と社会主義を掲げるチャベスという軍人がクーデタを起こし投獄されるも、1999年には大統領に就任し、政権を握りました。チャベスは権力の座につくと、油田などを牛耳っていたアメリカ資本を追っ払い、油田をすべて国有化しました。そして、その富を国民に分配したため、チャベスは国民の熱狂的な支持を集めたのです。

追い出されたアメリカからすれば面白くありません。2000年代、ブッシュ・ジュニア大統領は、チャベス政権をひっくり返そうとCIA（中央情報局）などの情報機関を使って反政府勢力によるクーデタの動きを支援しましたが、結局うまくいきませんでした。

イラク戦争の最中の国連総会で登壇したチャベス大統領は、直前にこの場所で演説を行ったブッシュ・ジュニア大統領を暗にほのめかして、こう言い放ちました。

「この場所には悪魔がいた。いまだに悪臭が漂っている」

しかし、歴史上あらゆる社会主義政権がそうであったように、経済成長なしのバラマキは、国民の勤労意欲とモラルを失わせ、財政を破綻させせました。

アメリカを敵視していたチャベス大統領ががんで亡くなると、2013年、副大統領のマドゥーロが大統領の座を継ぎました。しかし、マドゥーロは、チャベスよりも統治能力に劣り、カリスマ性もありませんでした。

さっそくチャベス政権に反発していた富裕層が巻き返して、マドゥーロ政権は議会選挙で敗北を喫しました。マドゥーロは選挙で選ばれた議会とは別に、自分を支持する労働組合の代表を集めて新たに「憲法制定議会」をつくり、立法機関としました。選挙で勝った富裕層からすれば、こんなバカな話はありません。

この結果、ベネズエラには議会が2つ存在するという異常事態になったのです。

Q 混迷をきわめるベネズエラはどうなるか？

憲法制定議会はマドゥーロ支持派しかいないため、マドゥーロ大統領の独裁化が進みます。これを阻止すべく、本来の議会はマドゥーロ大統領を罷免して、2019年1月、ファン・グアイドという若い議員を暫定大統領にすえました。この結果、ベネズエラには2人の大統領が出現したのです。

じつは、グアイドも「裏」のある人物で、アメリカ留学中にCIAとつながり、訓練を受けた人物です。つまりグアイドのバックはアメリカです。

トランプ政権は、ベネズエラ暫定大統領であるグアイドを承認し、「マドゥーロは辞任せよ」と圧力をかけました。それに対し、孤立無援となったマドゥーロが助けを求めたのが、中国とロシアでした。

とくに中国はベネズエラにおける影響力拡大を狙っています。かつてソ連がキューバに影響力を行使し、アメリカを脅かしていたように、中国の軍艦をベネズエラに寄港させるなどして中国の飛び地にしようとしています。「アメリカの裏庭」と呼ばれる中南米からアメリカを脅かそうと、習近平は虎視眈々と狙っているのです。

ベネズエラは経済もボロボロになっています。チャベス政権時代から福祉のためにお金をばらまいてきた結果、ハイパーインフレーションに陥りました。インフレ率は1000万%ともいわれています。通貨ボリバルは紙くずになってしまいました。ベネズエラの1カ月の最低賃金は45万ボリバル。円に換算すると、たった600円。チーズ2切れしか買えません。国民は物々交換で生活するしかない状態です。

そんな中、「マドゥーロ政権による超法規的な処刑が続いている」と国連人権高等弁務官事務所が報告書を出しています。暗殺部隊と称する特殊部隊が民家に押し入るなどして、少なくとも2000人以上が処刑されているという内容です。

2019年3月には、ベネズエラで大停電が起きました。長く停電の状態が続いたため、生鮮食品がすべて腐るなど大混乱に陥りました。マドゥーロ大統領は、「アメリカによるサイバー攻撃だ」と非難しましたが、いまだに原因はよくわかっていません。

中南米の不安定化は、中国の望むところです。米国が軍事介入すれば話は早いのですが、過去にそれをやりすぎて反米感情を高めてしまったという苦い教訓から、トランプも手出しができないのです。

第4章

EU大解体とイギリスの復活

Q イギリス解体の可能性はあるか?

2020年1月31日、イギリスがEU(欧州連合)から離脱しました。英国の離脱(British Exit)、略して「ブレグジット」は、最近のヨーロッパにおける最大のニュースです。発足以来、拡大の一途をたどっていたEUに何が、そしてイギリスに何が起きているのでしょうか。

まずはイギリスの歴史を簡単に振り返っておきましょう。

イギリスの正式な国名は「グレート・ブリテン及び北アイルランド連合王国」、略して「連合王国」(The United Kingdom)です。もともとは4つの国でした。ロンドンを中心とし、英語(アングロ・サクソン語)をしゃべっていたのがイングランド王国。残りの3つは、ゲール語を話す先住民、ケルト人の国でした。

中世の段階で、まずイングランドが西隣のウェールズを併合します。スコットランドは長い間、敵国でしたが、政略結婚によりイングランド王家と血縁関係で結ばれます。女王エリザベス1世が独身のまま亡くなると、親戚にあたるスコットランド王家がイングランド王を兼ねました。１７０７年、両国は対等合併して、グレート・ブリテン王国が成立します。両国は宗教的にも同じプロテスタントを受け入れました。

ところが、海を隔てたアイルランドはカトリック教国で、イングランドに占領され、植民地扱いとなってしまいます。欧州大陸でナポレオン戦争が始まると、アイルランド人はフランスのナポレオンと手を結んで、独立しようと企てました。

図8　連合王国

アイルランド独立を阻止するため、１８０１年、グレート・ブリテン王国はアイルランドと対等合併という形をとり、国名を連合王国（ＵＫ）と改めました。合併後もアイルランド人は二級市民として扱われ、独立運動が続きます。

第一次世界大戦後、連合王国（以下、「英国」と略記）は一歩妥協して、アイルランドの独立を認めました。しかし英国系住民が比較的多い北アイルランドを英国の一部にとどめ、南側だけを切り離したのです。これが北アイルランド問題のはじまりです。

スコットランドにはそれほどの差別はなかったものの、イングランドに対する不満はくすぶりました。それでも、当時の英国は産業革命によって世界の覇権を握っていたため、一体化すれば経済が潤い、生活が豊かになるという期待もあったのです。

ところが、第二次世界大戦後、英国はインドをはじめ、ほとんどの植民地を手放すことになり、世界の覇権はアメリカへと移りました。英国の繁栄を支えていたのは、植民地を舞台にした貿易ですから、一気に経済が傾いてしまったのです。

経済的衰退は、各地域の民族意識を高め、スコットランドや北アイルランドが連合王国から分離していく動きを見せました。経済再建は英国にとって、国家の統一を維持できるかどうかという大問題に直結しているのです。

Q イギリスは、なぜ欧州統合に参加したのか?

イギリスは島国として欧州諸国の紛争から距離を保ち、余力を海外の植民地建設に振り向けてきた国です。繁栄の絶頂にあった19世紀には、「光栄ある孤立」と称してどこ

図9　連合王国とEUの関係図

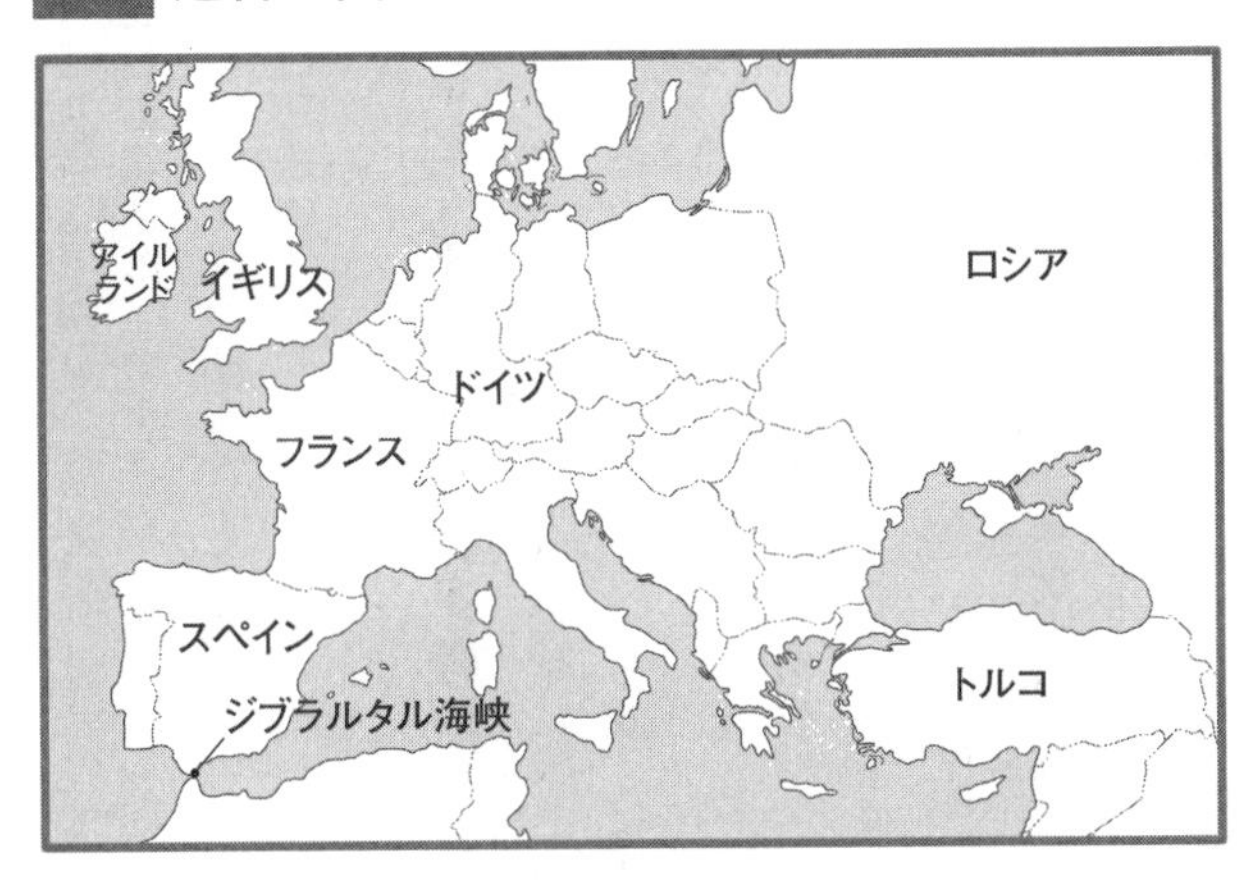

の国とも同盟を結ばず、単独で7つの海を支配しました。

しかし、第二次世界大戦後の植民地独立という現実に直面したイギリスは、植民地に代わるマーケットを他に見つける必要に迫られました。ちょうどそのとき、フランスと西ドイツの間でヨーロッパ市場統合の動きが始まり、EC（欧州共同体）は発足します。イギリスは1973年からECに加盟して、関税なしでヨーロッパ共通マーケットに参加できるようになりました。

冷戦終結後、ECを発展させて、通貨統合、政治統合まで進める目的で1993年に生まれたのがEU（欧州連合）です。99年には統一通貨「ユーロ」が導入され、またEU加盟国間をパスポートなしで移動できるようになりました（シェンゲン協定）。

EUの誕生は、アメリカと並ぶ巨大マーケットが生まれたことを意味していました。EUがスタートを切った1990年代、理想社会をめざすヨーロッパの未来は輝いて見えました。

Q なぜイギリスはEUを離脱したのか？

イギリスにとっても、旧植民地に代わるEUの単一市場に参加できたことは、大きなメリットになったはずでした。では、なぜイギリスはEU離脱へと舵を切ってしまったのでしょうか。

ひとつは通貨の問題です。じつは、イギリスはEUに加盟していながら、通貨統合については受け入れませんでした。ユーロを使うかどうかは加盟国が選べるのですが、イギリスはユーロを使わずに、ずっと独自通貨のポンドを守ってきたのです。

女王陛下の肖像の入った通貨ポンドは、大英帝国時代の過去の栄光のシンボルです。アメリカが覇権を握る前の19世紀、イギリスは世界最大の超大国で、ポンドは今のドルのような基軸通貨でした。その誇りと伝統に裏付けされた通貨発行権を守りたいから、ポンドを手放したくないのです。

ユーロを導入すると、各国政府は自国通貨を発行できなくなります。ドイツのフランクフルトにある欧州中央銀行（ＥＣＢ）にいちいちおうかがいを立てないと通貨も発行できません。

日本の場合、通貨（円）は日本政府、つまり日銀が発行しているので、もし景気が悪くなったら、円をたくさん刷って流通量を増やすことによって景気回復を図ることもできます。「アベノミクス」の中心は、まさにこれでした。しかし、ユーロを導入しているＥＵ各国はそれができません。欧州中央銀行の了解を得ないと、ろくに経済対策もできない。こうした理由もあって、イギリスはもともと通貨統合に反対の立場でした。

それに加えて、中東のシリア内戦が激しさを増すにつれ、シリアから多くの難民がヨーロッパに押し寄せました。この難民問題がイギリスのＥＵ離脱を後押しすることになったのです。

イギリスは島国なので、他のＥＵ諸国に比べて難民がすぐに入ってくることはありませんでした。大量の難民流入でいちばん困った国はドイツです。難民の受け入れが限界に達すると、ドイツのメルケル首相はＥＵ加盟国に負担の肩代わりを要求しました。「難民を受け入れられないなら、せめてお金を払ってほしい。なぜドイツだけ苦労しなければいけないのだ」というのがドイツの言い分です。

一方、イギリスからすれば、「なぜドイツの社会問題をイギリスに押しつけるんだ」という不満がつのっていきます。

こうしてEUに加盟していることが、イギリスにとって重荷になっていきました。

そこで、当時のイギリスのキャメロン政権（保守党）は、EU離脱を問う国民投票を実施しました。2016年の6月23日のことです。

ドイツとの難民問題をめぐるハードな交渉を有利に進めるために、「イギリス国民はEUに対してこんなに不満を抱いている」ということを示す材料にしたかったのです。

そして、EU離脱に賛成か反対かを、国民に問うたのです。

じつはキャメロン政権は、「さすがにEU離脱は反対票のほうが多いだろう」と踏んでいました。せいぜい賛成は30〜40%と予測していたのです。それだけの賛成票があれば、国民の不満をテコにして、ドイツとの交渉に強気に臨めると考えました。

しかし、開けてびっくり！　52%対48%という僅差でしたが、EU離脱は可決されてしまったのです。これは「国民の意思」なので、結果は無視できません。にっちもさっちもいかなくなったキャメロン政権は総辞職してしまったのです。

Q EUを離脱してイギリスの経済は成り立つのか？

キャメロン首相の失脚後、テリーザ・メイという女性が首相に就任しました。キャメロン首相と同じ保守党です。メイ政権はEUとの間でブレグジット交渉に入ります。

メイ首相は、一気にブレグジットを進めればさまざまなトラブルが起きるので、EUとの離脱交渉は慎重に進めたいというのが本音でした。したがって、「離脱後もしばらくはEU共通市場にとどまる」といった玉虫色の妥協案を模索していました。「準加盟国」みたいな形でEUに残れないかと模索し、かえってEU側からナメられる結果となりました。

それに対して激しく反対したのが、同じ保守党の対EU強硬派の面々です。「即時EUから出ていく」とハードランディング（強行着陸）を主張し、保守党の内部が割れる結果となりました。この強硬派のトップが、次の首相となるボリス・ジョンソンです。

メイ首相は党内で多数派を維持できず、身動きがとれなくなり、2019年6月に辞任してしまいます。

その後、首相に就任した対ＥＵ強硬派のボリス・ジョンソンは、ブレグジットの実現に向けて突っ走り、とうとう２０２０年1月31日、正式にＥＵから離脱しました。２０１６年の国民投票から約３年半の年月が経っていました。

Q イギリスは、なぜ中国との関係が悪化したのか？

イギリスのＥＵ離脱によって何が変わるのでしょうか。

大きな変化は、ヨーロッパ大陸との間に「目に見えない壁」ができたこと、つまり国境線が復活したことです。ＥＵ域内から難民がイギリスに流れ込んでくることはありませんし、そのための費用を負担する必要もなくなりました。「ポンドをやめてユーロにしなさい」と口を出されることもありません。

その代わり、大きな代償を払うことにもなりました。ＥＵという5億人の人口を擁するマーケットを失ったのです。貿易にかかる関税が復活するため、輸入するＥＵ側にとってイギリス製品は割高になり、売れなくなるでしょう。

イギリスは、ＥＵに代わるマーケットを探さなくてはいけません。どこでしょうか？

キャメロンが考えたのは、「世界第2位の経済大国」、中国です。

ＥＵ離脱の国民投票を実施したキャメロンは、２０１５年に中国の国家主席・習近平を国賓として迎え、両国は英中関係の「黄金時代」到来を謳い上げました。キャメロン政権のときの財務大臣であるオズボーンが親中派で、仕掛け人といわれています。

習近平は訪英時、レッドカーペットの上を歩き、バッキンガム宮殿に宿泊しています。舞い上がった習近平はこのとき傲慢な態度をとったようで、面会したエリザベス女王があとで「(習近平の一行は) とても失礼だった」と嘆いたとか。女王がロンドン警視庁の人物と立ち話をしていた会話をテレビのマイクが拾っていたのです。これは習近平外交の特徴ですが、「大国としてふるまおう」という意識が強すぎて、相手国に対して傲慢になったり、居丈高になったりします。中国では「戦狼（せんろう）外交」というそうですが、これでは相手国の心証を悪くし、マイナス宣伝にしかなりません。

当然、イギリスの世論は「中国はけしからん」という声が強くなり、両国の関係は深まっていません。せっかくイギリスを仲間につけるチャンスだったのに、習近平は墓穴を掘ってしまったのです。追い討ちをかけたのが、米トランプ政権がしかけた米中冷戦です。ＮＡＴＯの同盟国として米国につくのか、裏切って中国につくのか、イギリスは踏み絵を踏まされたのです。

イギリスにとっても、巨大市場をもつ中国との関係が目論見通りにいかなかったのは誤算でした。これに代わる市場を早く見つけなければなりません。

Q イギリスが求めている新たな市場とは？

ジョンソン首相はキャメロンと同じ保守党ですが、反ＥＵ、親米の立場です。ですから米英間でＦＴＡ（自由貿易協定）を結ぶべく交渉を進めています。

実はもうひとつ、イギリスは「ウルトラＣ」ともいえる戦略を検討しています。

Q イギリスの市場拡大戦略とは何でしょうか？

① またEUに戻る

② 旧植民地（イギリス連邦）との関係強化

③ 日本と組む

正解は③、日本です。

多くの日本人は日本を「小国」と思っていますが、隣の中国やロシアと比べるからです。日本の人口1億２０００万人は、フランスとイタリアを合わせた人口に匹敵します。しかも低所得者層が少ないので、購買力が高い。中国は14億人ですが、そのうち6億人が月収１０００元（1万5千円）以下の低所得者層であることはすでに述べた通りです。日英はすでにＥＰＡ（経済連携協定）の締結で合意し、日本・ＥＵ間のＥＰＡの優遇関税をイギリスにも適用します。

さらに日本市場は海外に大きく広がっています。日本がＴＰＰ（環太平洋パートナーシップ協定）のメンバーだからです。米国主導で交渉が始まったＴＰＰは、トランプ政権の政策転換で米国が離脱した結果、日本中心のＴＰＰ11（イレブン）として２０１８年12月に発足しました。域内人口5億人でＥＵの人口とほぼ同じ、世界ＧＤＰの13％を占める巨大経済圏です。

イギリスはこのＴＰＰ11への加盟を求めています。ＴＰＰは、「環太平洋」の貿易協定なので、大西洋国家イギリスは無関係のように思われるかもしれません。

じつは太平洋にはイギリスの領土があり、イギリス人が住んでいます。オーストラリアのずっと東、ハワイのずっと南の太平洋のど真ん中に位置するピトケアン諸島。人口はたった56人ですが、太平洋で唯一のイギリスの海外領土です。

しかも、すでにTPPに参加しているオーストラリアとニュージーランドはイギリス連邦（イギリスと旧植民地諸国で構成される連合体）ですから、TPPにイギリスが入ることに異論は出ないでしょう。

両国はイギリス女王を今も君主としていただき、また米英と軍事情報を共有するファイブ・アイズ（88ページで詳述）のメンバーです。

イギリスと太平洋は地理的にはだいぶ離れていますが、現在のイギリスは製品輸出国ではなく、金融業で稼いでいる国です。海外の資源やビジネスに投資して配当金を得ることを得意としています。インターネットがあれば成立するので距離はあまり問題にならないでしょう。

Q イギリスEU離脱で困る人たちとは？

イギリスのEU離脱は、国民の過半数が支持した結果ですが、当然反対だった人も半分近くいます。世論調査の結果によると、とりわけスコットランドの人たちはブレグジット反対の立場でした。なぜでしょうか？

スコットランドは金融や投資ではなく、ある製品の輸出が主要な産業になっているからです。

Q　スコットランドの輸出品といえば何でしょうか？

①　ウイスキー

②　時計

③　小麦

お酒が好きな人にとっては、簡単かもしれません。

答えは、ウイスキーです。

スコッチウイスキーの主要マーケットはEUです。EUを離脱することでウイスキーの輸出に関税がかかり、競争力を失うことになるため、スコットランドの人たちは困っているのです。

仮にTPPに加入したとしても、太平洋の国々がスコッチウイスキーを好んで飲むかどうかは未知数です。日本ではウイスキーを使ったハイボールが人気ですが、炭酸水で薄めてしまうわけですから、消費量は大きくなりません。

じつはブレグジットの議論と並行して、「そもそもスコットランドは独立国家だったのだから、連合王国から離れてEUに残るべきだ」という議論も存在します。いわゆる「スコットランド独立問題」です。

18世紀のイングランドとスコットランドの合併は、建前上は対等なものでしたが、スコットランドには大きな産業がないために、いわばイングランドの「国内植民地」のような扱いを受けてきました。

それでも連合王国に入ったのは、当時、産業革命が起きて大躍進していたイングランドと一体となることに、経済的メリットがあったからです。しかし、ほとんどの植民地を失い、EUからも離脱した連合王国にとどまることに、メリットを感じられないスコットランド人が増えているのです。

Q イギリスのEU離脱が引き起こす民族問題とは？

ブレグジットが引き起こす民族問題がもうひとつあります。

「北アイルランド問題」です。アイルランドという国のややこしいところは、アイルランドの北約４分の１が、イギリスの領土だということです。このイギリス領を「北アイルランド」といいます。

北アイルランドでは、その領有をめぐってイギリスとアイルランドの間でずっと紛争の火種があり、１９７０年代には、「北アイルランドをアイルランドに取り返せ！」と主張するＩＲＡというテロリスト集団が大暴れしていました。ロンドンなどで頻繁に爆弾テロをしかけ、多くの犠牲者を出しました。

北アイルランド問題が収束したきっかけは、１９７３年のイギリスとアイルランドのＥＣ加盟です。その結果、イギリスとアイルランドの国境線がなくなりました。シェンゲン協定で両国を自由に行き来できるようになったため、ＩＲＡによるテロも過去のものとなっていきました。

しかしブレグジットにより、北アイルランドとアイルランドの国境線が復活したので、今もＥＵ加盟国であるアイルランド国民は、これまでフリーパスで移動することができた北アイルランドに入れなくなってしまったのです。

ジョンソン政権は、入境審査の手続きを簡単にする施策を検討していますが、今後、再び北アイルランド問題に火がつくおそれもあります。

もとはといえば、スコットランドもアイルランドもケルト民族で、はるか昔からこの場所に住んでいました。あとから、ドイツのほうからアングロ・サクソン人が海を渡ってきて、イングランドを建国しました。歴史的に見れば、イングランドは新参者です。民族や文化の違いもあり、スコットランド人とアイルランド人には、イングランドに対して心理的な「壁」があるのです。

Q EUはこのまま解体へと進むのか?

イギリスのEU離脱によって、これまで拡大を続けてきたEUが崩壊へと進むのではないか、と心配する声も聞こえるようになりました。

今回のブレグジットのような動きが他国に波及すれば、フランスによる「フレグジット」、イタリアによる「イタグジット」、スペインによる「スペグジット」といったことが連鎖的に起きて、それこそEUは解体することになります。

実際、そのような事態が起きる可能性はあるのでしょうか?

じつはすでにその兆候が見え隠れしています。

それが顕著なのはフランスです。フランス人が抱えている不満は、イギリスと同じく

「移民問題」です。

フランスには、１９７０年代から旧植民地であるアルジェリア、モロッコ、チュニジアといった北アフリカの国々から移民が流れ込んできていました。地中海の対岸から出稼ぎの労働者が押しよせて、そのままフランスに住み着いてしまったのです。しかも、多くが故郷から家族を呼び寄せるので、今では多くの2世、3世、4世が生活しています。

しかし、北アフリカからの移民たちはフランス文化を受け入れず、パリ近郊のニュータウンに住み着き、イスラムの習慣を守り続けました。パリから少し離れると、「ここは、一体どこの中東の国ですか？」という街の雰囲気です。

移民がフランスに定住すると、さまざまな問題が発生します。移民はフランス人から差別され、満足な仕事を得られず、低所得を余儀なくされました。すると、移民が住んでいる町は治安が悪化することになります。

もともとそうした問題を抱えていたところに、２０１１年のシリア内戦以降、シリア難民が押し寄せたのです。新たに難民が押し寄せれば、フランス人の仕事は低賃金労働者に奪われて、職を失うことになります。だから、移民受け入れ反対を標榜する政党が

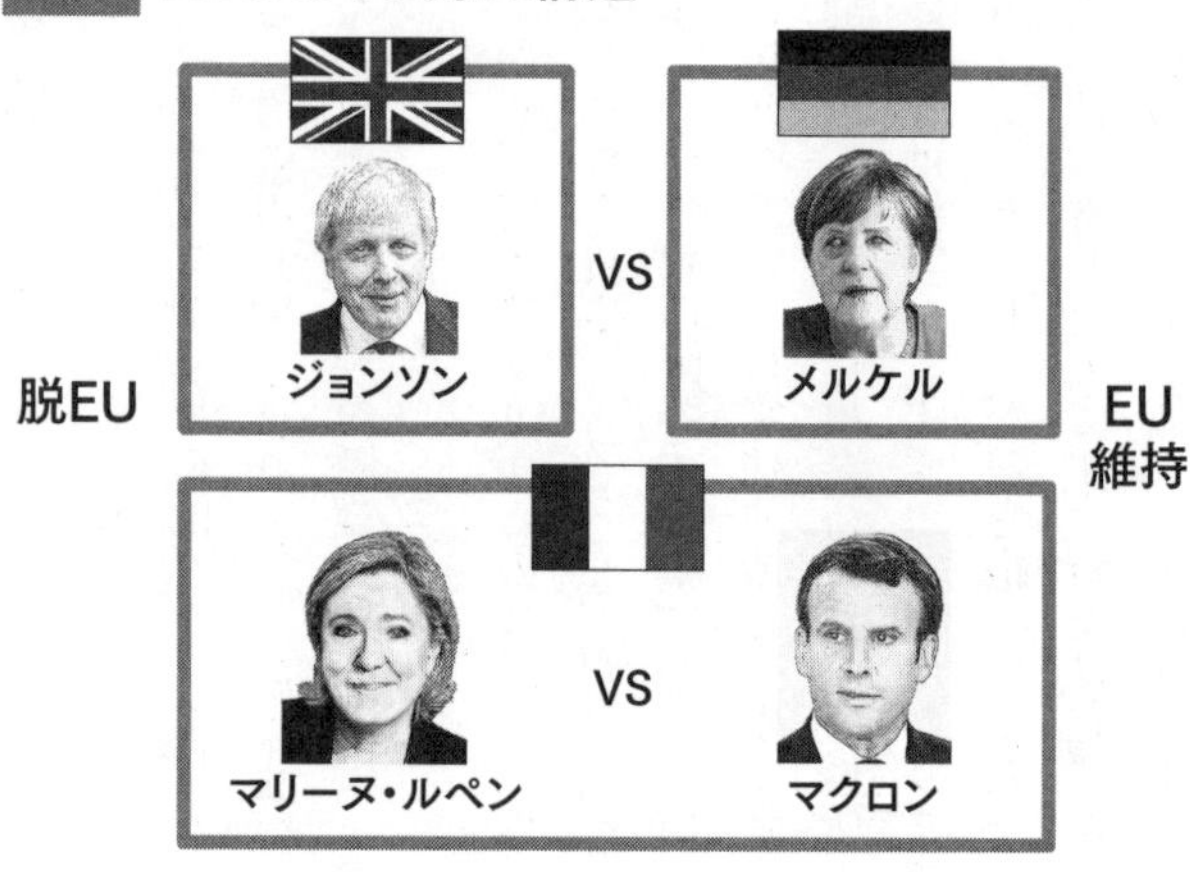

ぐいぐい支持を伸ばす結果となりました。

その代表格が「国民戦線」、マリーヌ・ルペンという女性のリーダーが率いる政党です。

もともと国民戦線は、マリーヌ・ルペンの父であるジャン＝マリー・ルペンがつくった政党です。彼はイスラム教徒などの移民排斥を訴えるガチガチの右翼思想の持ち主で、ナチスのユダヤ人虐殺を「第二次世界大戦史のささいなこと」などと述べたこともあります。その過激さゆえに国民の支持も広がりませんでした。

そこで、娘のマリーヌはソフト路線に軌道修正します。「外国からの移民は反対しませんが、不法移民は許しません」と。正式な手続きを踏まなければ、フランスの土は踏ませない、というわけです。彼女の主張はトランプ大統領と同じです。

マリーヌ・ルペンは、こう国民に訴えます。

「私も家庭の主婦であり、育児をしながら政治運動をしています。働く女性や所得の低い人たちの気持ちはよくわかります。フランス人の仕事を移民に奪われてよいのでしょうか！」

移民問題が深刻化する中、こうしたアピールが功を奏し、彼女はついにフランス大統領選挙の決選投票に進むほどの支持を集めました。

しかし、彼女の敵対勢力が手を結び、「マリーヌ・ルペンは極右だ。あんな人物を大統領にしてはいけない」と大キャンペーンを張ったのです。マスメディアもこれに乗っかり、「国民戦線は極右だ」と繰り返しました。この反「国民戦線」連合が担ぎ出したのが、金融界出身のエマニュエル・マクロンです。

結局、マリーヌ・ルペンは決選投票で、マクロンに敗退しました。マリーヌ・ルペンの躍進はフランス人をはじめ、ＥＵで暮らす人々の不満の表れであり、ＥＵ崩壊の予兆といえなくもありません。

Q フランスの「黄色いベスト運動」とは何か？

フランスで起こったことは、アメリカとそっくりです。

アメリカでは民主党政権であるクリントン大統領やオバマ大統領が、国境の壁を下げて移民を受け入れる政策をとってきました。ヒト、モノ、カネを自由に移動させることで経済を活性化させようとしたのです。

この政策によって大きな利益を得ていたのが、世界中をまたにかけてグローバルビジネスを展開する「国際金融資本」です。国際金融資本とは、ニューヨークのウォール街を拠点とする銀行、証券会社などの金融機関とその関係者のことを指します。彼らはグローバリズムの旗振り役です。

グローバリズムと国際金融資本に異を唱えたのが、共和党政権のトランプ大統領です。「国境の壁を低くしたことがアメリカ人の職を奪っている。国境線を取り戻せ」と訴えたのです。

マリーヌ・ルペンは、まさにフランスのトランプでした。当のトランプも「あなたは正しい。アメリカはあなたを支援する」とマリーヌ・ルペンのことをツイッターで公然と応援していました。

ヨーロッパの国際金融資本の拠点といえば、ドイツのフランクフルトです。彼らはルペンではなく、マクロンを支持しました。国際金融資本がスポンサーであるマスメディアも、当然マクロンを援護射撃することになります。

マクロン大統領は、ロスチャイルド系投資銀行の出身です。ロスチャイルド銀行といえば、国際金融資本そのもの。マクロン大統領自身も基本的にグローバリズムを支持しています。国際金融資本の出身者が、そのまま大統領になるのですから、わかりやすい構図です。アメリカでいうと、ゴールドマンサックスの出身者が大統領になるような話です。

このような背景を持つマクロンが大統領に就任すると、当然のごとく金持ち優遇政策を実施しました。大企業に対する減税もそのひとつです。

そうした金持ち優遇の政策に不満を抱いていたのが、中流から下の国民です。ついには、燃料税引き上げなどをきっかけに「マクロンをやめさせろ」と声をあげ始め、長距離トラックの運転手などが黄色いベストを着て高速道路やシャンゼリゼ通りを封鎖したのです。これを「黄色いベスト運動」といい、２０１８年11月から断続的に抗議活動が行われています。

この「黄色いベスト運動」の参加者は基本的に労組などの左派ですが、マリーヌ・ルペンの国民戦線を支持した人たちとも重なります。

ちなみに、抗議者が身につけている黄色いベストは、フランスの運転者が皆持っているものです。２００８年以降、フランスでは運転者は「蛍光色」のベストを車内に常備することが法律で義務付けられ、運転者は路肩で車両を離れる場合、それを着用する必要があります。黄色いベストは広く利用され、安価で入手できたため、運動のシンボルとして選ばれたのです。

Q イタリアとドイツの「反EUの予兆」とは？

昨今のヨーロッパでは、フランスと同じようなことが各国で起こっています。

たとえば、イタリアでは「同盟」（旧「北部同盟」）という政党が、「不法移民は入れない、イタリア人の生活を守る」と主張し、反ＥＵの旗を掲げています。

イタリアは連立政権で、ころころ首相が変わることで有名ですが、２０１８年には同盟が連立政権の中に入り、サルヴィーニ党首が副首相になるところまで支持を集めました。

ドイツはずっと二大政党が政権を握っていて、親米保守のＣＤＵ（キリスト教民主同盟：日本でたとえれば自民党）と、左派リベラルの社民党が政権交代を繰り返してきました。そこに第3のグループとして「ドイツのための選択肢（ＡｆＤ）」という政党が二大政党にくさびを打ち込もうと狙っています。

ＡｆＤは民族主義政党で、反移民や自国通貨（マルク）再導入などの主張を掲げています。それゆえに、ＡｆＤは苦戦を強いられてきました。なぜなら、ドイツで民族主義的なスローガンを掲げると「ネオナチ」とレッテルを貼られ、叩かれるからです。

ドイツではナチスは非合法化されており、カギ十字の旗やナチス式敬礼をしただけで逮捕されます。それでも「外国人排斥」を掲げ、スキンヘッドなど独特のファッションをしたネオナチが実際に存在し、移民との間でトラブルを起こしています。

ＡｆＤは「不法移民は入れない」というトランプ的、ルペン的主張をしているだけなのですが、ネオナチと結びつけられて、「極右」のレッテル貼りをされてしまうのです。選挙の際のテレビ討論会でも、ＡｆＤだけが袋叩きにされます。

しかし、近年ＡｆＤに対する風向きが変わりつつあります。

ドイツには「5％条項」という制度があって、全国得票率が5％未満の政党は議席を与えられません。日本のように少数政党の乱立が起こるのを防ぐためですが、ドイツでは小さな政党が政権を取るまでの道のりは困難を極めます。

ところが、ＡｆＤは５％条項の壁を乗り越えて、地方選挙でどんどん勝っています。２０１９年には、ザクセン州、ブランデンブルグ州といった旧東ドイツの州議会選挙でそれぞれ20％台の得票率で、第2党の座を獲得しています。

ＡｆＤのおもなスローガンは「ユーロ廃止、ドイツマルク復活」などで、「ＥＵ脱退」までは主張していません。移民については、「専門職は認めるけれども、単純労働力としての移民、ましてや不法移民は受け入れない」という立場です。旧東ドイツは、ソ連経済圏だった頃の後遺症がいまだに残っていて、失業率が高い。経済的にもゆとりがないから「移民反対」を支持する住民が多いのです。

ＡｆＤの躍進は、やはりＣＤＵのメルケル政権が、あまりにも大量の移民を受け入れたことに対する反発と考えられます。

Q ＥＵ脱退で再燃する「ジブラルタル問題」とは？

スペインについても、ブレグジットをきっかけに再燃しそうな問題があります。

もともとスペインは、イギリスとの間に長い間、領土問題を抱えていました。これを「ジブラルタル問題」といいます。

ジブラルタルは、スペインのイベリア半島の南東端に突き出した小半島で、対岸のモロッコとは目と鼻の距離です。ジブラルタル海峡は、地中海の入り口という要衝でもあります（171ページの図9を参照）。

きっかけは約300年前の「スペイン継承戦争」（1701〜13年）までさかのぼります。

フランスのルイ14世が孫のフェリペをスペイン王の継承者としたことを巡って起こった国際戦争で、フランス・スペイン連合軍と、イギリス・オランダ・オーストリアなどの連合軍が戦いました。イギリスが勝利し、ユトレヒト条約でジブラルタルの地を占領すると、そのままイギリスの領土となっています。

イギリスがEUを離脱すれば、ジブラルタルもイギリスと一緒にEUから離れることになります。これは、ジブラルタルに国境線ができることを意味します。

スペインとしては許しがたい事態です。

そもそも「イギリスはジブラルタルを不法占拠している」と主張しています。一方、イギリスは「ジブラルタルは1713年のユトレヒト条約で、合法的にイギリス領になったのだ」という立場です。

ブレグジットはこうした領土問題にも再び火をつけることになります。ただ、イギリスの領土になってから300年も経っていますから、ジブラルタルの住民はすでに英語を話していますし、今さら「スペインに戻せ」といわれても、困惑するばかりです。

スペインはカタルーニャ問題も抱えています。スペイン北東部カタルーニャ自治州の独立運動で、世界的な観光地であるバルセロナは自治州の州都です。

カタルーニャについても、スペインがEUに入っているので、なんとか独立運動は抑えられてきました。将来スペインがEUを離脱するとなったら、当然カタルーニャはスペインから独立してEUに残ると主張するでしょうから、イギリスのスコットランドと同じような問題が生じると考えられます。

Q 「ブレグジット」で得をするのは誰か？

EU全体にとって、イギリスのEU離脱はマイナスの影響のほうが大きいといえます。EUの立場からすれば、ブレグジットを認めてしまったことで、他の国がイギリスに続く可能性が生まれ、将来「ＥＵ崩壊」につながってしまう恐れがあるからです。ブレグジットによって悪い前例をつくってしまった、というのがＥＵの本音でしょう。

ただし、経済的な面でいえば、イギリスが離脱しただけではそれほど大きなマイナスにはなりません。逆に、ある人たちは得することになります。

Q　主要国のＥＵ離脱で、得をするのは誰でしょう？

①　フランスの畜産業

②　ドイツの自動車産業

③　イタリアのアパレル産業

正解は②、ドイツの自動車産業です。

ＥＵからイギリスが抜けると、そのぶんドイツの影響力がさらに強まります。加盟国が抜ければ抜けるほど、ドイツが一人勝ちし、ＥＵの中に占めるドイツの影響力が増していきます。ＥＵは実質的に「ドイツ＋その他の国々」という格好になっていきます。

しかし、ドイツ国民にとっては、ＥＵ離脱の動きが拡大することはまったく歓迎できる話ではありません。移民による社会混乱のつけを払わされるわけですから。

では、誰がEUにこだわっているのでしょうか。

ドイツの銀行と輸出産業です。

景気のいい国の通貨、国際的な信用のある国の通貨は、価値が上がります。米国が好景気であればドル高になり、日本は莫大な対外資産を持っているので円高になります。逆に、財政破綻を繰り返すギリシアやアルゼンチンのような国の通貨は暴落します。

ドイツは世界経済の優等生で、通貨マルクは割高でした。でも通貨高ということは、ドイツ商品が割高になるということ。これはドイツの輸出産業にとっては大打撃です。

そのドイツがEUに加盟し、通貨マルクを廃止してユーロに切り替えました。EUにはギリシアやスペイン、イタリアのような、経済不振で信用のない国も入っています。その影響を受けてまさかのユーロ危機になったわけですが、ドイツの輸出産業だけは大喜びでした。

「これでドイツ車が割安になった。世界に輸出しまくれ！」

だからこそドイツは、イタリアやギリシアなど「困った国々」をEU内に抱え込み、「飼い殺し」にしておきたいのです。あえてユーロの価値を落とすことによって、ドイツ製品を世界で売りまくる戦略です。主要国のＥＵ離脱が増えれば、この傾向に拍車がかかるでしょう。

そうして稼いだ儲けは、ドイツの多国籍企業にどんどん流れ込みますが、ドイツ以外のＥＵ諸国には還元されません。ギリシアやイタリアは何度も財政危機や経済危機に陥って、「お金がない」と悲鳴をあげています。すると、欧州中央銀行（ＥＣＢ）は資金を貸し出し、ギリシアやイタリアはますます借金が膨らんでいきます。

また、ダイムラー・クライスラーやフォルクスワーゲンなどの多国籍企業は、移民・難民を安い賃金で雇っています。ドイツのメルケル政権が、シリア難民を大量に受け入れた背景には、ただの「人道主義」だけでは説明できない部分があるのです。

結局、多国籍企業を中心とする輸出産業、そこに投資する国際金融資本に富が集まり、庶民は移民流入による賃金下落と治安の悪化に生活を脅かされる。政策を決定するのはＥＵ本部があるブリュッセルの官僚たちであり、彼らは選挙の洗礼を受けることはないというのが、ＥＵの実態なのです。

ヨーロッパにおけるＣＯＶＩＤ－19の流行はイタリア北部で始まりました。イタリアブランドのアパレル業界が中国資本に買い叩かれ、中国人労働者が大量に流入していました。ＣＯＶＩＤ－19が短期間で全ヨーロッパに広まったのも、シェンゲン協定によって人の移動が自由だったからです。国境をコントロールできれば、ここまで急速に感染が広がることはなかったはずです。

「やはりEUはおかしい」という方向に世論が流れるのは必然です。ＥＵの枠組みは維持するとしても、各国が主権を取り戻して、いざというときにはいつでも国境を封鎖できるようにしないといけない、という議論が出てくるでしょう。

第5章

中東にくすぶる世界大戦の火種

Q アメリカがイランを敵視するのはなぜか?

アメリカのトランプ政権誕生以来、アメリカとイランの関係は悪化の一途をたどっています。大きなきっかけは、2018年5月にトランプ米大統領が「イラン核合意」から離脱したことです。

「イラン核合意」とは、核兵器開発を疑われていたイランとアメリカのオバマ政権、米・英・独・仏・中・ロが2015年7月に結んだもので、イランが高濃縮ウランや兵器級プルトニウムを15年間生産しないことなどが決定されました。つまり「核開発の停止」ではなく、「遅延」でイランと妥協し、見返りとして金融制裁や原油取引の制限などを緩和したのです。

オバマ外交を「弱腰」と否定するトランプ政権は核合意から離脱し、対イラン経済制裁を再開。これに対抗してイランは、段階的に核開発を再開する事態となりました。

2020年1月3日、アメリカ軍がドローン攻撃でイラン革命防衛隊（コッズ部隊）の司令官カセム・ソレイマニを殺害すると、両国は一触即発の緊張状態となり、「第三次世界大戦が起きるのではないか」と心配する声もあがったほどです。幸い戦争は回避

図11 イランとサウジの関係図

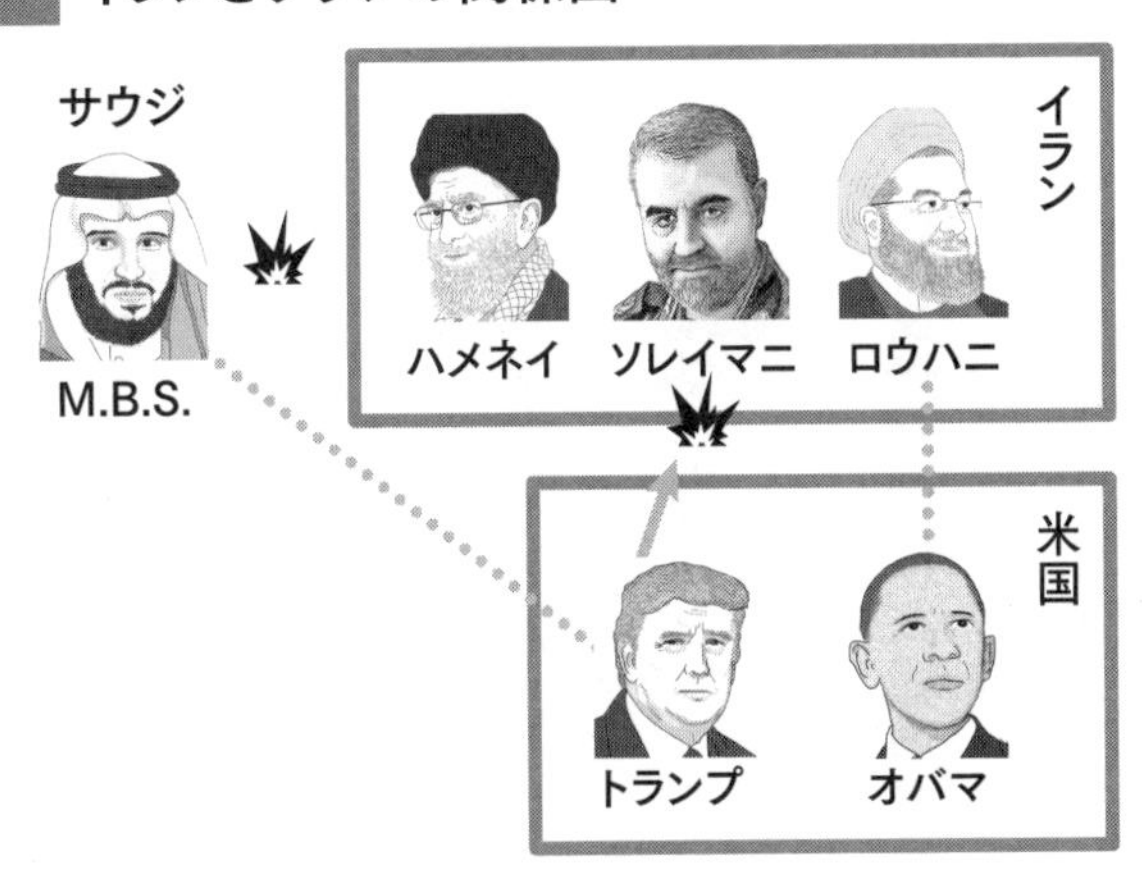

されましたが、両国のにらみ合いは続いています。

なぜ、アメリカとイランの関係は、ここまでこじれたのでしょうか。

直接的な原因は、イランの勢力圏拡大にあります。

イランがめざしているのは、イラン革命（202ページで詳述）の精神を中東全域に広め、イランがその指導者として地域の覇権国家になることです。かつてソ連が「共産主義を世界中に広めなければいけない」といって、東ヨーロッパや中国、北朝鮮に共産党政権をつくったり、中東やアフリカ、中南米に「革命の輸出」をしたのと同じような動きを今、イランが続けているのです。

北朝鮮のように一国で革命をやる分には、アメリカも「ちょっと変わった国だな」と見て見ぬふりもできるのですが、イランは国外にどんどん拡大しようとしているから看過できません。

第二次世界大戦以降、アメリカは一貫して中東の石油利権を押さえることを目的に、アラブ系の国々に親米政権をつくり、手なずけてきました。親米政権の権力者たちは、アメリカ人に石油を掘らせて分け前を得ることで、莫大な利益を得てきました。サウジアラビアやイラク戦争後の親米政権などが典型です。アメリカは今、アラブ系の親米国を動員することでイランの動きを包囲しようとしています。

外に向かって勢力を拡大しようとするイランと、その動きを封じ込めようとするアメリカとアラブ諸国――そのせめぎあいが、中東の緊張関係を高めているのです。

Q イランを反米政権に大転換させた「イラン革命」とは？

それでは、イランが世界に広げようとしている「革命の精神」とは何でしょうか。

まずは、現在のイランの体制が生まれたイラン革命（１９７９年）について知っておかなければなりません。

革命前のイランは、実は中東最大の親米国家でした。アメリカに石油を輸出し、莫大な収入を得ていました。それではなぜイラン革命が起きたのでしょうか。簡潔にいえば、当時の国王パフレヴィー2世（パーレビ国王）に統治能力がなかったからです。

パフレヴィー朝はアメリカとイギリスの傀儡政権で、米英の石油資本のいうことばかりを聞く、まさに「ロボット」でした。「イランを近代化する」とアメリカ資本を導入し、大規模な開発に突っ走ったのはよかったのですが、結局、改革開放後の中国とそっくりで、富の分配がうまくできなかったのです。儲かったのは、米英の石油資本、そして王族とその取り巻きだけでした。

せっかく莫大な量の石油があるのに、富が一部に集中し、国民に分配されていない……。こうした国民の怒りに乗じて勢力を拡大したのが、イスラム教シーア派の法学者たちです。

法学者（ウラマー）とは、イスラム教の教典コーランの専門家で、もともとイスラム世界においてものすごく権威のある存在です。知識人であるイスラム法学者は、法律家であり裁判官であり、地方の指導者でもあります。トラブルに対してイスラム法にのっとって裁きを下せば、国民はみんな素直に従います。

その法学者のホメイニ師が、こういって民衆を煽ったのです。

「富の不平等が起こっているのは、今の国王が反イスラムだからだ。預言者ムハンマドは、貧しき者に施しをせよといったとコーランには書いてある。それを守らない今の国王は、反イスラムであり、異教徒アメリカの手先である」

イスラム本来の教えであるアッラーの前の平等の回復——これこそがイラン革命の精神です。平等という点では社会主義とも通じますが、無神論の社会主義とは根本的に異なります。これが、国境を越えて抑圧的環境におかれたイスラムの人々の共感を呼んでいるのです。

貧富の格差を放置すると、必ず民衆の怒りを買い、国が傾きます。マグマのようにたまった民衆の怒りが爆発するのです。1917年、ロシア革命によって共産党政権が生まれたのも貧富の格差が原因でした。苦しんでいる民衆は常に悪者を探しているものです。そんな状況下で、「君たちが苦しい立場にあるのは国王のせいだ。国王を倒せ」と焚きつけられたら、寄ってたかって権力の座から引きずり降ろそうとするのは当然です。

サウジアラビアはイラン以上の国王独裁政権ですが、民衆の怒りが爆発しないのは、お金をばらまいているからです。政権批判の自由はないけれど、教育や医療を無料で受けられますし、食べ物に困ることもない。子供をタダで大学に行かせることもできる。だから我慢できるのです。

２０２０年、原油価格がマイナスに転じるという歴史的事件が起きましたが、万一、石油が出なくなったり、石油価格の下落が続いたりするようなら、サウジアラビアの体制は立ち行かなくなり、サウジ王政は揺らぐでしょう。

昭和初期の日本もそうでした。農村は貧困に苦しみ、都市労働者の生活は劣悪でした。だから、関東軍が満州事変を起こし、「昭和維新！」を叫ぶ青年将校らが二・二六事件を起こすと、民衆は喝采を送ったのです。

現代の日本はどうでしょう。なんでもかんでも「アベが悪い」と煽ってきた一部野党の人たちがいます。ところが選挙をやってみると自民党が勝ち続け、国民が立ち上がって政権打倒の大きなムーブメントを起こさない。つまり、いろいろ不満はあっても人々が現状に対して、まあこんなもんだろう、と受け入れているからだといえます。

２０２０年のコロナ禍で日本経済は大きなダメージを受けましたが、それでも今の日本では貧困が原因で飢え死にするようなことはほぼありません。生活保護があり、国民皆保険制度があり、ぜいたくはできなくても一生飢えることなく生きられます。民衆による革命が起きる国と、今の日本とでは民衆の「怒りのレベル」が違うのです。

Q イランのハメネイ師と大統領の関係は？

イラン政治に関するニュースについて触れるとき、少しわかりにくいのが、誰が国を動かしているか、ということです。

ここで質問です。

Q イランでいちばん権力をもっているのは誰でしょうか？

① 国民から選ばれた大統領
② 中東最強といわれる革命防衛隊の司令官
③ イスラム教シーア派の法学者

じつはイランには、２人の権力者が存在しています。ニュースでも、シーア派の最高指導者である法学者ハメネイ師と、大統領のハサン・ロウハニという2人のトップの名前が登場します。

じつはイランの国内の政治体制は二重構造になっているのです（図12参照）。

イランでは選挙が行われ、国民が議員や大統領を選ぶ仕組みになっています。そして、選ばれた大統領が軍の指揮もとります。ここだけ見ると普通の民主主義の国家のように見えます。

図12　イラン国内の権力構造

ところが、大統領のほかにもうひとつ、権力ラインが存在します。ハメネイ師をトップとするイスラム法学者たちです。法学者で構成される法学者会議があり、そこで選ばれた代表が「最高指導者」となります。

初代の「最高指導者」は、イラン革命のリーダーだったホメイニ師です。ホメイニ師が亡くなると、二代目のハメネイ師が法学者会議から選ばれ、君臨しています。なお、最高指導者の地位は終身制です。

このようにイランの政治体制は二重構造になっているため、大統領の決定が覆ることもあります。たとえば議会で、ある法律をつくり、大統領が決定したとします。しかし、最高指導者であるハメネイ師が拒否権を発出し、その法律を無効にすることもできるのです。

議会選挙の立候補者に対しても、法学者会議が立候補差し止めなどの手段で介入することができます。法学者会議に都合がいいように、選挙結果をコントロールできるというわけです。

それではなぜ、このような二重構造になっているのか。

シーア派の最高指導者や法学者会議が権力を掌握しているのに、なぜあえて大統領や議員を選挙で選ぶというまわりくどいことをしているのでしょうか。

簡単にいえば、「イランは決して独裁政権ではなく、国民の声にも耳を傾けています」という国内外へのアピールと考えられるでしょう。

他の中東の国々、たとえばサウジアラビアなどは、議会や選挙制度すらありません。

王族であるサウード家の独裁です。アラブの国々の政治体制は、程度の差こそあれサウジアラビアと似たようなものです。そういう意味では、形式的であっても選挙を実施しているだけ、イランは民主的な国ともいえます。

Q 「革命防衛隊」とはどんな組織か？

イランでは、軍隊も二重構造になっています。

大統領直轄の「国軍」と、最高指導者ハメネイ師直轄の「革命防衛隊」です。一国の中に2つの軍組織が存在しているわけですが、いったい何が違うのでしょうか。

簡単にいえば、兵士たちの〝気合い〟が違います。

イラン革命以前からある国軍は徴兵制なので、イヤイヤ軍隊に入る人も多いのです。だから士気は低い。一方の革命防衛隊は志願兵です。「イラン革命のためなら命を捨ててもいい」という人々で構成されているので、意気込みが違うのです。

ハメネイ師がトップを務める軍隊が革命防衛隊です。大統領とは別の指揮系統で動きます。革命防衛隊は、イラン革命の最中にできた組織です。１９７９年にイラン革命が起きると、革命の波及を恐れた隣国イラクが攻め込んできて、イラン・イラク戦争が勃発しました。このとき大活躍したのが、革命防衛隊です。

国軍と革命防衛隊は、イラン・イラク戦争のような対外戦争のときは一緒に戦いますが、平時には独立した存在です。革命防衛隊のほうが「最高指導者」直属ですので、どうしても国軍は発言力という面でも劣ります。

Q イランのソレイマニ司令官は、なぜ殺害されたのか？

革命防衛隊には、2つの任務があります。

ひとつは、イラン国内の治安維持と国境警備。治安維持の中には、イラン革命の精神を徹底することも含まれ、飲酒の取り締まりや女性のスカーフ着用の強制など、市民の日常生活を監視、反体制派の密告なども担当します。

もうひとつは、イラン革命の精神を中東の国々に輸出することです。この海外工作を専門に担う部隊を「コッズ部隊」と呼びます。

コッズとは「聖地」、つまりエルサレムを意味しています。

「エルサレム部隊」という名前の通り、聖なる土地であるエルサレムをイスラエルから取り返すことを目的としているのです。エルサレムはキリスト教の聖地ですが、同時に

図13　中東の宗派…国境との不一致が紛争を招く

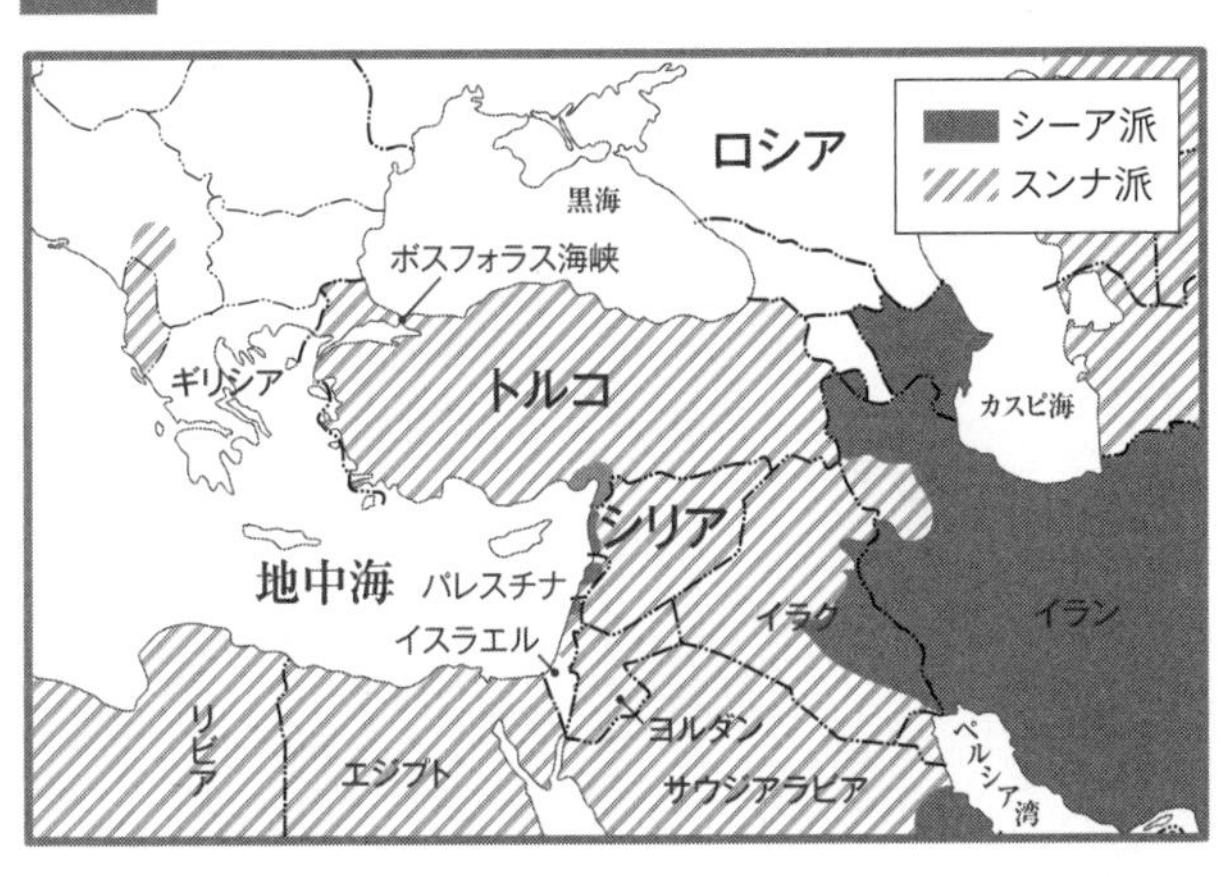

ユダヤ教やイスラム教の聖地でもあります。今エルサレムを押さえているのは、ユダヤ教徒のイスラエルです。聖地エルサレムからユダヤ教徒を追い払い、イスラム教徒のために取り返そう、というわけです。

２０２０年1月、アメリカ軍のドローン攻撃によってイラクで殺害されたソレイマニは、このコッズ部隊の司令官でした。

実際、ソレイマニ司令官は、中東各地の反体制派を支援してきました。あちこちで革命を起こさせて、イラン革命の第2波、第3波を起こそうと画策しているのです。その試みがうまくいったのが、隣国のイラクです。

アラブの国々で多数派を占めるのは、ス

ンナ派です。しかし、図13を見ればわかるように、ペルシア湾の周りには、アラブ人の中にもシーア派の信者が多数いて、イラクの場合はだいたい人口の半分がシーア派、つまり親イラン派です。特に南部にはイランと同じシーア派が多く住んでいます。イラクのシーア派の人たちをうまく操ることで、イラン革命の精神を拡大していきました。

これが原因で1980年に勃発したのが、イラン・イラク戦争です。

当時スンナ派だったイラクのサダム・フセイン政権から見ると、イラク南部の反体制派をイランが支援しているのは見過ごせない、というわけです。そこでフセインはイランに攻め込み、9年間にも及ぶイラン・イラク戦争を起こしたのです。

同時にイラク国内では、シーア派に対する大弾圧が行われました。だから、サダム・フセインがアメリカを怒らせて、1991年の湾岸戦争、2003年のイラク戦争を引き起こしたとき、イラク南部のシーア派は米軍に協力して内戦を起こし、結局、サダム・フセインはシーア派民兵の手で処刑されました。

結果からいえば、サダム・フセインの失脚はイラクのシーア派にとってラッキーな出来事でした。スンナ派のサダム・フセイン亡き後、スンナ派は政権から追われ、イラクはシーア派が国政を仕切ることになったからです。シーア派政権ということは、すなわち親イランです。

このような歴史を振り返ると、アメリカは愚かなことをしました。アメリカがサダム・フセインを倒さなければ、彼がシーア派を取り締まり、イランの勢力拡大にはつながらなかったからです。そのまま放っておけばよかったのです。アメリカは長期的な戦略なしに、こうした状況を招くということを繰り返してきました。

第二次世界大戦で、アメリカは日本とドイツを徹底的に叩きのめしました。その結果何が起きたかというと、逆にソ連と中国の共産主義が勢力を拡大することになったのです。日本とドイツを防波堤としてうまく利用していれば、米ソ冷戦もあれほど長引かなかったはずです。

アメリカに殺されたソレイマニは、他国のシーア派を支援する仕事をしてきました。資金を渡したり、武器を配ったり、テロの指導をしたりしてきたのです。

アメリカ側の理屈でいえば、このような活動をしている革命防衛隊はテロ組織です。米軍は、テロ組織に対して自衛権を発動したにすぎない、という理屈です。

当時、ソレイマニはイラク駐留米軍に対する大規模なテロ作戦を計画していたとされています。その動きを事前に察知したから未然に防いだ、とアメリカは主張しています。

当時、バグダッドにあるアメリカ大使館がシーア派の武装集団に囲まれて緊迫していました。アメリカには「イラン・アメリカ大使館人質事件」というトラウマがあります。1979年のイラン革命のときに、イランのテヘランにあった米大使館が群衆に占拠されて、大使館員が長期間人質になった事件がありました。同じ轍を踏むことは、絶対に避けなければならないのです。

そこで、ソレイマニがイラクのバグダッドに入り、イラクのシーア派武装組織の幹部と空港で会ってから車で移動するところをキャッチ。ドローンでミサイルを撃ち込んで殺害しました。

米軍は、ずっとソレイマニの行動を監視していました。おそらくコッズ部隊の中に米軍への情報提供者がいたのでしょう。ソレイマニがイラクを極秘訪問し、バグダッドの空港から迎えの車に乗り込んだとき、その車を特定した米軍はドローンを飛ばし、ミサイル攻撃でソレイマニを車ごと爆破したのです。

Q なぜサウジアラビアとイランは対立しているのか？

先ほどの図13をもう一度見てください。イラクやシリア、サウジアラビアなど、シーア派とスンナ派が混在している国があります。こうした国や地域では内戦が起こりやすいのです。

サウジアラビアの場合、ペルシア湾沿岸はシーア派が多く住んでいます。独裁政権であるサウジアラビア王家はスンナ派（の中でも特に厳格なワッハーブ派）なので、シーア派は異端として抑圧されています。ペルシア湾の沿岸にいるシーア派のサウジアラビア人は、サウジアラビアから分離して、イランと一緒になりたいというのが本音です。

もし、この地域が分離すると何が起きるでしょうか。

サウジアラビアは、国土の多くを砂漠が占めています。それでも、お金持ち国家なのは油田があるからです。しかし、その油田はほとんどが東のペルシア湾沿岸のシーア派居住地域に集中しているのです。

もしペルシア湾沿岸のシーア派が分離してしまったら、サウジアラビアは油田地帯を失うという恐ろしい事態に直面します。だからこそ、サウジアラビア王家は徹底的に東部のシーア派を押さえ込んでいるのです。スンナ派のサウジアラビアとシーア派のイランが対立しているのは、宗派の違いもありますが、油田の権益をめぐっても争っているのです。

独裁国家であるサウジアラビアでは、反逆分子は決して許されません。２０１６年には、テロに関与したなどとして、サウジアラビア東部に住むシーア派の宗教指導者ニムル師が処刑されました。それに怒ったイランの群衆が、イランのサウジアラビア大使館を襲撃するという事件も起きました。

２０１９年９月、サウジアラビア東部にある国営石油会社の石油施設２カ所がドローン攻撃を受けて、サウジアラビアの石油生産能力の半分以上が影響を受けるという事件がありました。

この攻撃について、イラン革命防衛隊の支援を受けるイエメン（２２５ページで詳述）のシーア派組織フーシが犯行声明を出しましたが、アメリカのポンペオ国務長官は、イラン革命防衛隊が直接手を下したものだ、との見方を示しています。

Q イラン革命防衛隊の資金源はどこか？

革命防衛隊は12万人の兵力を維持し、戦闘機や戦車、弾道ミサイルも保有しています。また中東各地のシーア派民兵に軍事援助もしています。革命の輸出にはお金がかかるのです。イランはアメリカから経済制裁を受けているので、イランの石油を輸出できません。アメリカに歯向かえない日本やＥＵなど西側諸国にイランの石油を輸出するのは無理です。

この経済制裁の網をかいくぐって輸出するルートを開拓するのも革命防衛隊の重要な任務であり、これを担当していたのもソレイマニ司令官でした。

Q　ソレイマニ司令官は、どこに石油を売ろうと考えたのでしょうか？

①中国

②ロシア

③インド

イランはある国を味方にすることを考えました。経済発展が著しく、最も石油を必要としている国といえば、すぐにわかるでしょう。

そう、①の中国です。アメリカと対立関係にある中国なら買ってくれるはずです。いわば中国との密貿易のようなことも、革命防衛隊は手がけているのです。

トランプ政権が、米中冷戦へと舵を切ったことで、孤立した中国は孤立しているイランにますます接近していくでしょう。今後、イランの核開発に中国が直接支援を行い、バーターとしてイラン産石油を買い付ける、という交渉も進めていると想像されます。

もうひとつ、イランの石油を渇望している国があります。北朝鮮です。北朝鮮も水爆実験を強行した結果、西側諸国から経済制裁を受けています。しかし北朝鮮には、石油代金として支払う外貨（ドル）がありません。北朝鮮の通貨「朝鮮ウォン」は世界で最も価値の低い通貨のひとつですから、それで石油代金を支払われてもイランは困ります。それではイラン石油のバーターとなりうる北朝鮮製品は何か？

ミサイルです。

軍事専門家は、イランの弾頭ミサイル「シャハブ3」が、北朝鮮の弾道ミサイル「ノドン」に酷似していることを指摘しています。あらゆる宗教を認めない共産主義体制の中国、北朝鮮と、イスラム共和国のイランとは、イデオロギー的には「水と油」のはずです。しかし、「反米」の一点で彼らは協力関係にあり、「石油と兵器のバーター」という利害関係も出来上がっているのです。

Q なぜイランとイスラエルは対立しているのか？

イランの敵国といえば、イスラエルはその最大のターゲットです。

イスラエルを攻撃しているイスラム原理主義政党「ヒズボラ」は、イスラエルの隣国であるレバノンで活動するシーア派組織です。

ヒズボラはイスラエルに向けて頻繁にロケット砲をぶち込んでいますが、その資金源は、同じシーア派のイランです。これもコッズ部隊が支援しているのです。

4度の中東戦争で領土を奪われた周辺アラブ諸国にとって「イスラエルは敵」というのはわかりやすい構図です。しかし、イランは地理的にはイスラエルとはだいぶ離れています。地政学的には、本来関係のないはずです。それでも、イランがイスラエルを敵視するのは、なぜでしょうか。

イランはイスラム世界では少数派、「はぐれ者」のシーア派です。しかし、もしイランがイスラエルを叩くことができれば、イランはイスラム世界の英雄になれるのです。

アラブ人国家がイスラエルに太刀打ちできない状態が続いてきましたから、イランがイスラエルに一矢報いれば、アラブ諸国の民衆も、「イランはすごい!」「シーア派すごい!」となる。イラン革命の精神を広げるという目標に近づくことができます。

Q なぜアラブ諸国はイスラエルに接近しているのか?

近年は「イスラエルとアラブ各国が接近している」という報道を目にするようになりました。1979年にエジプトのサダト大統領がイスラエルと講和して国交を結んだとき、他のアラブ諸国は「エジプトの裏切り」を非難し、サダト大統領はイスラム過激派に暗殺されました。

しかし94年にはヨルダンのフセイン国王が、2020年にはUAE（アラブ首長国連邦）とバーレーンもイスラエルと国交を結びました。

もはやアラブ諸国はバラバラです。

本来、ユダヤ教のイスラエルとイスラム教のアラブ諸国は、4度にわたって中東戦争を戦うなど対立関係にあったはずです。なぜこのようなことが起きているのでしょうか。

ひと言でいうと、アラブの国々が〝ヘタレ〟だからです。もはやアラブ諸国はイスラエルと争う気はありません。

なぜ〝ヘタレ〟になってしまったのか。

米ソ冷戦期、アメリカが支援するイスラエルに対抗し、ソ連がアラブ諸国の革命を支援しました。エジプトやシリア、リビアでは親ソ派のクーデタが成功し、ソ連から武器や資金がどんどん供給され、イスラエルに対抗することができました。ところが、ソ連が冷戦に敗れ、やがて崩壊すると、資金や武器の供給が途絶えてしまったのです。

アラブ諸国はどうしたか。アラブの親ソ派政権は、アメリカに乗り換えたのです。アラブ諸国の主要な輸出品である石油を大量に買ってくれるのが、アメリカだったからです。

もともとイスラエルの背後にはアメリカがついていましたから、イスラエルとケンカをすると、アメリカに石油が売れなくなってしまう。だから、イスラエルとも対立を避けているのです。口では「イスラエルの暴挙を許すな！」などと強気な発言をしていますが、実際にやっていることは弱腰で、まさに〝ヘタレ〟そのものです。

中東にはアラブ人の国々がいくつもありますが、統一の動きもありません。そもそも歴史的にいえば、現在のイスラム諸国は、第一次世界大戦後、イギリスとフランスが便宜的に引いた国境線によって生まれた国々です。当時、アラブ人が住んでいた土地を支配していたオスマン帝国は、第一次世界大戦でドイツ側についてイギリスやフランスなどの連合国と戦い、敗戦国となりました。

その結果、イギリスとフランスは勝手に線を引き（サイクス・ピコ協定）、「ここからこっちはフランス、あっちはイギリス」と住んでいる人の民族や宗教に関係なく、アラブ人居住地を分割しました。具体的には、シリアとレバノンはフランスがとり、その南側のヨルダンとイラクはイギリスがとる。そして、パレスチナにはあとでヨーロッパからユダヤ人を送り込む、という密約が結ばれたのです。この密約が、そのまま現在の国境になっています。

このように民族や宗教に関係なく引かれた国境線は数々の戦争・紛争を引き起こし、アラブ人の結束を阻む結果となっているのです。

Q イラン人のプライドは、どこから来るのか？

結束力のない〝ヘタレ〟のアラブ人とは違い、イランはシーア派のイラン人を中心とした統一国家をつくり、団結しているように見えます。同じ中東ということで日本人には区別がつきませんが、イラン人はアラブ民族ではありません。

Q　イランを構成する主要民族は何でしょうか？

①　クルド人
②　トルコ人
③　ペルシア人

答えは、③のペルシア人です。

ペルシア人は、昔から今のイラン周辺に居住していました。

イスラム世界ができる前は、ササン朝ペルシアという大帝国があり、今のイラクやシリアのあたりまで領土を広げていました。ササン朝ペルシアは、ローマ帝国と同じ時代に栄えた国で、ローマ帝国から何度も攻め込まれました。しかし、あのローマ帝国もついにササン朝は倒せなかったのです。当時、ローマと唯一互角に戦ったのが、ササン朝ペルシアといっても過言ではありません。

「イラン人には勇敢な男が多い」
といわれることがありますが、このような背景が影響していると考えられます。

決して西洋人に屈しなかった歴史をもつペルシア人はプライドの高い民族です。中東で古代から帝国を築いてきたのは我々だけだ、と。栄光のササン朝ペルシアの歴史を民族的な誇りとしているペルシア人は、その時代には名もなき遊牧民だったアラブ人のことは見下しているのです。そういう意味では、イラン人のプライドの高さは中国人に似ているかもしれません。

強固な結束を維持するイランから見たら、結束力のないアラブ人は、不甲斐ない民族と映るのです。

Q イエメンで何が起きているのか？

アラビア半島の「かかと」部分に当たるイエメン。アラブ人諸国の中でも最も歴史の古い国で、『旧約聖書』に「シバの女王の国」として登場します。ローマ時代にもインドとの中継貿易で栄えていました。砂漠ばかりの国ですが、中継貿易を通じて多くの人とモノが行きかっていたのです。

ササン朝ペルシア時代、ペルシアとローマの貿易も行われていたため、中継地点であるイエメンにたくさんのペルシア人が住み着き、ローマ人からは「幸福のアラビア」と呼ばれていました。イランがイスラム教シーア派を受け入れた結果、イエメンにもシーア派が広まることになります。

近代になると、スンナ派のオスマン帝国に長く支配されましたが、南イエメンはイギリスに占領され、北イエメンではシーア派が独立運動を起こして独立します。南イエメンは１９６７年にソ連の支援でイギリスから独立、社会主義国家になりますが、ソ連崩壊によって経済破綻したため、北イエメンとの統一に踏み切りました。

こうして統一したイエメンでは、サーレハ大統領の長期独裁政権に対する反発から、シーア派指導者のアブドルマリク・フーシがイランの支援を受けて武装蜂起し、内戦がはじまります。

２０１５年にフーシ派民兵が首都を制圧してサーレハ前大統領を処刑、イラン型のイスラム共和国を樹立します。しかし国内のスンナ派はサウジの支援を受けて抵抗を続け、サウジ国軍も軍事介入してフーシ派政権に対する無差別空爆を続けています。このイエメン内戦も、サウジとイランの代理戦争であることがわかります。

Q イランはなぜ核開発にこだわるか？

トランプ政権の核合意離脱によって、イランは核開発を再開しました。イランはなぜ核開発にこだわるのでしょうか。

アメリカの立場から説明すると、イランを敵視するきっかけとなったのは、先述したようにイラン革命。アメリカ大使館の人質事件は、今もアメリカにとってイランを敵視する要因のひとつとなっています。

アメリカにとっては、イラン革命政権の存在自体が許せないのです。かつての親米政権がイラン革命によってすべてがひっくり返ってしまいました。アメリカの敵国になっただけでなく、革命中にアメリカ大使館に土足で踏み込まれ、アメリカ国民を人質に取られる事件も起きました。しかも、今まで一度として謝罪も賠償もないのですから。アメリカとしては決して許せないのです。

さらに、アメリカにとって親密な関係にあるイスラエルの問題も絡んできます。イスラエルにとってソ連という後ろ盾を失ったアラブ諸国は、もはや脅威ではありません。現状でイスラエルに対するいちばんの脅威となっているのがイランなのです。

イランとイスラエルは国境を接していないので、イランから攻撃するとすればミサイルを撃つしかありません。イスラエルは小さな国ですから、もしイランから核ミサイルを撃ち込まれたら一巻の終わりです。だから、アメリカはイランの核開発をなにがなんでも止めたい。

裏を返せば、イランが核開発にこだわる理由もここにあります。核ミサイルを保有すれば、イスラエル及びアメリカに対する牽制にもなります。

かつてアメリカは、リビアのカダフィ政権に軍事的圧力をかけて核開発を放棄させた上で、「アラブの春」を支援してカダフィ政権を崩壊させました。核の放棄が政権崩壊につながった、とイランは考えているのです。アメリカがこれまで中東でしてきたことを振り返れば、トランプ政権のイランに対する発言は単なる脅しと片づけることはできません。イランが反撃できないとみれば、アメリカはイランをも攻撃することに躊躇しないだろう、と覚悟しています。

アメリカによるイラン攻撃を踏みとどまらせる方法がひとつだけあります。アメリカが攻めてきたら、イランは核ミサイルでイスラエルを攻撃する。「アメリカが襲ってきたら、こっちも噛みつくぞ」というわけです。そういう意味では、イランの核開発の動きは、北朝鮮が核武装にこだわるのとまったく同じ構図といえます。

Q アメリカとイランはなぜ戦争を回避できたか?

2020年、ソレイマニ司令官の殺害によって、アメリカとイランは一触即発の緊張状態に陥りました。第三次世界大戦の勃発を心配する声もあがったほどです。

イランは、「ソレイマニ殺害への報復だ」と称して、イラク駐留米軍基地に対するミサイル攻撃を行いました。しかし死傷者は出ておらず、トランプは米軍に反撃をさせませんでした。そのまま双方が矛を収める結果となり、小康状態が続くこととなりました。

要は、ポーズだけとって本気で攻撃するつもりはなかったのです。

あらかじめアメリカ側に攻撃を通知していた可能性さえあります。「立場上ミサイルを撃ち込まざるを得ないけれども、ここ とあそこに撃ち込むから逃げてくれ」と。米軍側に人的被害が出なかったことを考えると、事前通告があったことは十分にあり得ます。

なぜ、イランは戦争を回避したのでしょうか。

本気で戦争をしたらアメリカが圧勝するからです。核兵器が完成していない状態で戦争をすれば、１００％イランは敗北し、アメリカの軍門に下る結果となります。

一方、アメリカもアメリカでトランプ大統領は内向きの政権ですから、遠く離れた中東で戦争などしたくない、というのが本音でした。だから、お互いにファイティングポーズだけとって矛を収めたというわけです。

今後、もしアメリカとイランが戦争になるとしたら、原因はひとつしか考えられません。イランの革命防衛隊です。

革命防衛隊は士気も高く、イケイケなので、指導者の意向を無視して、突っ走ってしまう可能性があります。殉教精神さえもつ革命防衛隊の兵士たちは「この世で死んでも、あの世でアッラーに召されればよい」と思っているからです。

アメリカとイランが軍事的衝突に至らなかったのは、最高指導者であるハメネイ師が革命防衛隊を押さえ込んだからでしょう。「司令官を殺された気持ちはわかる。だが、その悔しさは胸にしまっておきなさい」と。

ここからはまったくの想像ですが、革命防衛隊の中にアメリカの協力者がいた可能性もあります。というのも、ソレイマニ司令官の居場所は最高機密だからです。それをアメリカが察知したということは、情報を流している内通者がいたことを意味しています。

もっと穿った考え方をすると、ハメネイ師は、ソレイマニ司令官の殺害を黙認していた可能性もゼロではありません。

ソレイマニ司令官が突っ走るのをこのまま放っておいたら、アメリカと戦争になるかもしれないと危惧し、アメリカがソレイマニ司令官を殺害するという情報が入ったとき、それを聞かなかったことにした、というわけです。

自ら手を下すわけにはいかない最高指導者ハメネイ師は、「アメリカがソレイマニを殺害してくれるなら、反米感情が高まるだけで、自分の立場は安泰だ」と考えたかもしれません。根拠はありませんが、状況からすると、完全には否定できないストーリーではないでしょうか。

Q 今後アメリカとイランの関係はどうなるのか？

武漢発の新型コロナウイルスによるパンデミックによって、アメリカもイランも大打撃を受け、対立はいったん沈静化しました。今後、両国の関係はどうなるでしょうか。

先ほどのハメネイ師がソレイマニ殺害を黙認したという仮説が正しいとすると、トランプ大統領とハメネイ師の間で、何らかの妥協が図られた可能性があります。だとすれば、しばらくは現状維持でしょう。

ただし、代理戦争は活発化する可能性はあります。革命防衛隊はあいかわらず士気が高いですから、これまでのように他の国で代理戦争をしかけると考えられます。

これは、米ソの冷戦中も同じでした。ソ連はアメリカのことを激しく罵倒すると同時に、代理戦争という形でアジアやアフリカの親ソ政権を支援して、革命を起こすよう画策していました。しかし、ついにソ連とアメリカは直接対決には至りませんでした。ソ連もまた、本気でアメリカと戦ったら負けるとわかっていたからです。

イランに関しては、もうひとつ懸念材料があります。ハメネイ師は80代の高齢ですから（１９３９年生まれ）、遠くない将来、次の最高指導者に代わることになります。もし三代目の最高指導者が若くて好戦的なタイプであれば、一気にアメリカとイランの対立が激化する可能性もあります。

Q イランと日本の関係が良いのはなぜか？

アメリカとイランの対立が激しさを増す中、２０１９年6月、安倍総理がイランを訪問。ハメネイ師、ロウハニ大統領と相次いで面会し、両国の緊張緩和を試みました。

イラン革命後、最高指導者であるホメイニ師、ハメネイ師の両人は、西側の首脳とは一切会ってきませんでした。ところが、安倍総理がイランを訪問した際、ハメネイ師が出迎えました。日本は、西側の国で唯一イランとアメリカの橋渡しができる立場なのです。アメリカの同盟国である日本が、アメリカの敵であるイランとの仲を取り持つことを不思議に思った人もいるかもしれません。

イランと日本は、どうして友好関係にあるのでしょうか。

経済制裁の発動前までは、日本がイラン石油のお得意さんだったことはもちろんです。これに加えて歴史的に見れば、日本は中東で恨みを買うような悪さをしたことがありません。むしろ日露戦争に勝利した日本を、中東諸国の人々は称賛しました。だから、イランに限らず、アラブの国々もトルコも基本的に親日国なのです。

イラン革命の約30年前、1951年にこんな事件がありました。

当時、国王はまだ若く、民族派の首相だったモサデグが政治を取り仕切っていました。モサデグ首相は、イラン国内の石油産業を独占的に支配し莫大な利益をあげてきたイギリス系の石油メーカー「アングロ・イラニアン石油」(現在のブリティッシュ・ペトロリアム)の油田をすべて接収し、国有化することを宣言しました。

当然、イギリスは激怒しました。「今後イランの石油を買わない」といって、他の西側の国にも同調することを求めました。

このとき、日本の出光興産のタンカーが、イランの石油を買い付けに行ったのです。イランに対する経済制裁に国際法上の正当性はないと判断した出光興産の出光佐三社長は、極秘裏にタンカーを派遣することを決意したのです。

これは日本政府ではなく、出光興産が単独で決断したことですが、日本のタンカーがイランに入ったとき、イラン人は「やはり日本は違う！」とものすごく喜んだといいます。イギリスは当然妨害してくることが予想されたので、出光のタンカーはマラッカ海峡を迂回し、インドネシアのスンダ海峡を通って、イギリスの封鎖ラインを突破したのです。このエピソードは、作家の百田尚樹さんが『海賊と呼ばれた男』（講談社）という小説で描いています。こうした出来事により、イラン人の日本人に対する印象は良くなったのです。

モサデグは人気の高い政治家でしたが、アメリカのＣＩＡが資金提供した反政府運動によって失脚し、その後はパフレヴィー国王の親米独裁政権が続きました。

１９７９年のイラン革命後、基本的に日本はアメリカ側につき、現在はアメリカの経済制裁に合わせてイラン石油を買っていません。イランから見れば、「なぜ日本人は、アメリカの言いなりなのか」と不甲斐なく見えており、安倍首相と会談したハメネイ師もそのようなニュアンスの発言をしています。

Q ホルムズ海峡に自衛隊を派遣した日本の事情とは？

アメリカとイランが対立する中、安倍政権は日本船舶の安全確保を理由に、ホルムズ海峡周辺への自衛隊派遣を決めました。このニュースは何を意味するのでしょうか。

2019年6月、安倍総理がテヘランでハメネイ師と会談したその日に、ホルムズ海峡の出口で起こった事件を覚えているでしょうか。日本船籍とノルウェー船籍のタンカーが何者かに襲われ、爆発炎上したのです。

この事件はいまだに謎に包まれています。

何者かが日本のタンカーと知らずに攻撃したのか。あるいは、日本のタンカーとわかったうえで攻撃したのか。後者だとすれば、安倍総理のイラン訪問を快く思わなかった勢力、つまり革命防衛隊の関与が考えられます。ハメネイ師は、革命防衛隊を押さえ込んでアメリカとの関係を丸く収めたい。しかし強硬派である革命防衛隊にとって、ハメネイ師が安倍総理と会談するのは都合が悪い。そこで、会談を妨害しようと暴発したのかもしれません。

仮に革命防衛隊の仕業だったとしても、日本は冷静に対応すればよいのです。先ほど述べた通り、イランの国軍と革命防衛隊は別組織で関係ありません。実際、炎上する日本のタンカーを助けに行ったのは、イランの国軍のほうでした。

イランという国家（国軍）と革命防衛隊の行動は分けて考えなければなりません。日本にとって、イラン国家と国軍は敵ではないのです。

ホルムズ海峡への自衛隊派遣も、このような考え方のもとで実施されています。あくまでも「正体不明の武装集団が日本のタンカーを襲ってくる可能性があるので、護衛を目的に自衛隊を送る」というわけです。決して国家としてのイランを敵視した行動ではありません。もしアメリカとチームになって自衛隊を派遣すると、イランという国そのものを敵にまわすと受け止められてしまいます。だから、わざとアメリカのスキームの中には入りませんでした。安倍総理の判断が正しかったといえます。

じつは自衛隊の中東派遣は今回が初めてではありません。すでに海賊対策としてジブチに自衛隊を派遣しています。

図14 ホルムズ海峡

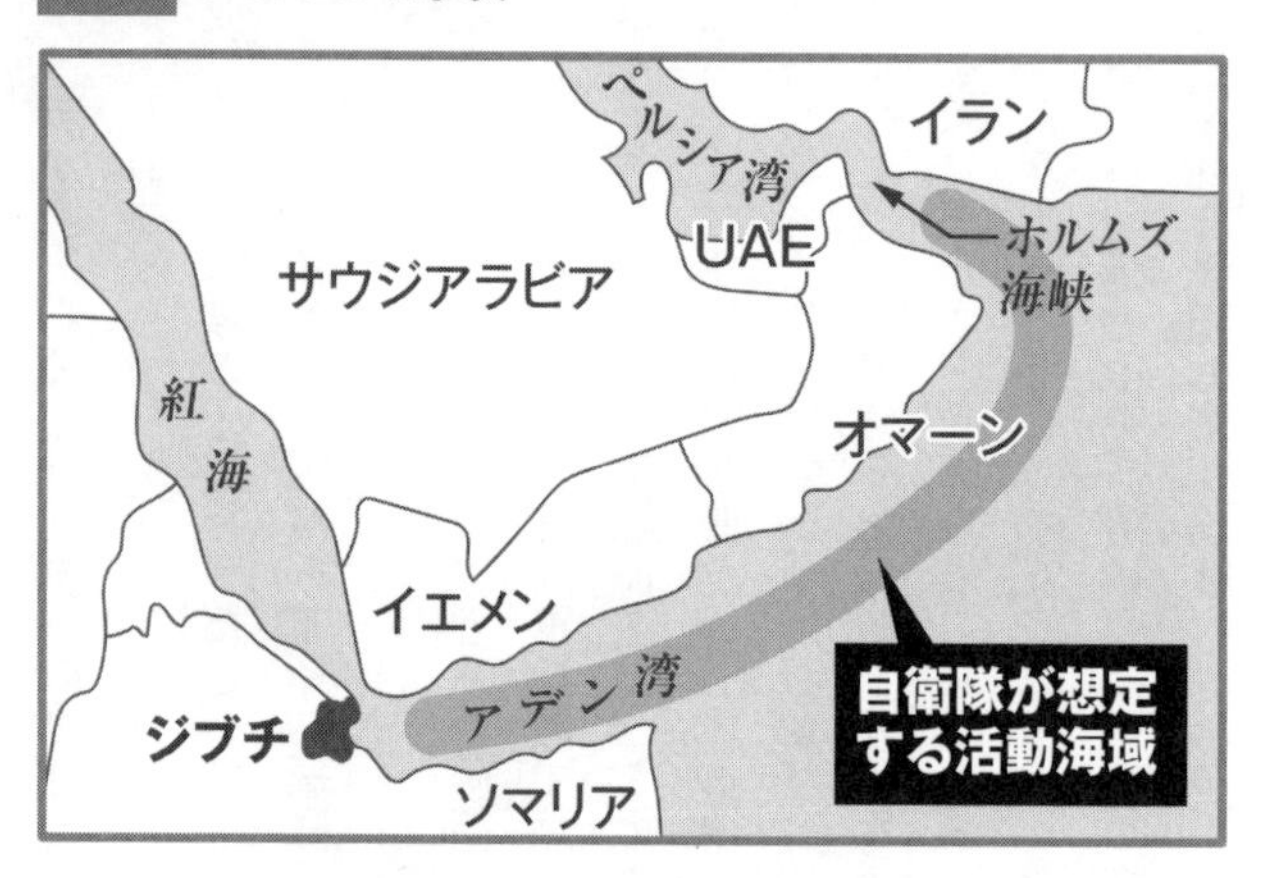

ジブチは紅海の出口にあるアフリカの小国で、イエメンの対岸に位置しています。ジブチには米軍や中国軍など各国が共同で、紅海で暴れている海賊（ほとんどがソマリア人）を取り締まっています。ジブチの海賊対策には自衛隊もずっと駐留していて、今回の決定でペルシア湾の入り口であるホルムズ海峡まで足を延ばしている格好です。

歴史的にいえば、今回のホルムズ海峡事件は、満州事変（1931年）のときと似ています。中国の柳条湖で日本の関東軍が南満州鉄道の線路を爆破した事件に端を発し、関東軍（旅順駐留の日本軍）による満州（中国東北部）全土の占領へとつながりました。

この満州事変について、日本政府は関知していませんでした。関東軍が勝手に暴走したことにより、戦闘が拡大していったのです。満州の関東軍と、今のイランの革命防衛隊は似ているところがあります。ハメネイ師は当時の昭和天皇の立ち位置といえます。昭和天皇は平和を求めていたのに、関東軍が突っ走ってしまった。ハメネイ師は高齢です。革命防衛隊がいつ暴発してもおかしくはありません。

Q シリアを支援し続ける大国とは？

中東のシリア情勢も混沌としています。アサド政権、ＩＳ（イスラム国）、クルド人武装勢力の三つどもえ内戦が続き、さらにはアメリカやロシア、トルコなど他国も巻き込んで、不安定な政情が続いています。大量の難民がヨーロッパへ流れ込み、イギリスのＥＵ離脱（ブレグジット）の原因にもなりました。シリアはもはや国家の体をなしていません。シリア内戦が終わらない最大の理由は、大国［Ｘ］がアサド政権を支え続けてきたからです。

Q X に当てはまる国は、何でしょう?

① アメリカ
② 中国
③ ロシア

正解は③のロシアです。

それを理解するために、この地域の地理を確認しましょう。

シリアの北はトルコ。トルコは、北は黒海、南は地中海に面しています。そして、黒海と地中海を結んでいるのがボスフォラス海峡です(211ページの図13を参照)。

ここでポイントとなるのは、黒海を挟んだ北側に位置するロシアの存在です。地政学的な観点からいえば、冬の寒さが厳しいロシアは、不凍港を手に入れ、地中海に影響力をもつことが長年の悲願です。しかしロシアから地中海に抜けようとすると、必ずボスフォラス海峡を抜けて、ギリシアとトルコの間を通らなければいけません。

逆に、アメリカやEUなどの西側諸国からすると、ロシア軍が簡単に地中海に出られるのは安全保障の意味で困ります。だから西側の陣営は、トルコとギリシアを、ロシア拡大の「防波堤」にしてきたのです。

19世紀にオスマン帝国が弱体化すると、その隙をついて南下政策をとるロシアが侵攻してきました。これに英・仏両軍が介入したのがクリミア戦争（１８５３年）です。黒海の北に突き出たクリミア半島を舞台にした戦争で、蒸気船を配備するなど近代化された英・仏海軍の前に、ロシア黒海艦隊が大敗し、南下は阻止されました。

20世紀に入ると、ロシア革命に対する防波堤としてトルコとギリシアは位置づけられ、米ソ冷戦期にはアメリカ主導の軍事同盟であるＮＡＴＯ（北大西洋条約機構）のメンバーとして両国を迎え入れ、一貫して軍事援助をしてきました。アメリカが、米ソ冷戦の開始を告げた「トルーマン・ドクトリン」（１９４７年）では、ギリシア・トルコへの援助を明記しています。

一方、どうしても地中海に出たいロシアは、西側陣営の裏をかいてトルコの南側にあるアラブ諸国に目をつけました。特にシリアは地中海に面しているため、ここにロシア海軍の拠点をもつことができれば、海峡を通らずにいつでも地中海進出ができます。

米ソ冷戦期、ソ連はアラブ諸国の革命政権を支援し、軍事援助を行いました。シリアのアサド政権もそのひとつで、ソ連の援助によって隣国イスラエルに対抗してきたのです。ところが、ソ連が崩壊したのをきっかけに、アサド政権も弱体化していきました。

Q なぜシリアでは民主主義が機能しないのか？

アラブ諸国の国境線は、第一次世界大戦中に英・仏が勝手に引いた線（サイクス・ピコ協定）が固定したものです。日本から独立した朝鮮半島が、米・ソが勝手に引いた線によって南北に分断されているのと同じことです。

人工国家シリアの国内には、少数派のアラウィー派（シーア派の一派）と多数派のスンナ派との対立があり、スンナ派は国境を越えてイラクにも広がっています。

フランス植民地時代、少数派のアラウィー派はフランスに保護を求め、積極的に植民地政策に協力してきました。この結果、シリア軍将校の多くはアラウィー派から採用され、独立後もこの状態は続きました。アサド家もアラウィー派の軍人一族で、ソ連の支援を得てクーデタで政権を握り、独裁体制を確立したのです。

もし民主的な選挙を行えば、多数派のスンナ派が国会で第一党になり、アラウィー派はこれまでの特権を失うでしょう。これを恐れるアサド家は、軍と警察による独裁でしか政権を維持できないのです。しかし、国民の多数が支持しない政権は不安定です。だから「アラブの春」の波がシリアを襲ったとき、シリアの国家秩序は一気に瓦解したのです。

「アラブの春」は、チュニジアのジャスミン革命に端を発し、２０１０年から２０１２年にかけてアラブ世界に広く伝播した反独裁運動です。シリア国内も内戦が激化し、ぐちゃぐちゃな混乱状態に陥っているのです。

親ロシア政権の崩壊はアメリカの望むところです。オバマ政権（クリントン国務長官）と、ウォール街のジョージ・ソロスの財団は、「アラブの春」の反政府運動に直接、資金提供をしていました。こうして、チュニジアのベン・アリ政権、リビアのカダフィ政権、エジプトのムバラク政権――いずれも親ロシア派の長期独裁政権――が将棋倒しのように崩壊する結果となりました。その一方で、サウジアラビアや湾岸諸国などの親米独裁政権には、「アラブの春」は波及しなかったのです。

最後までしぶとく残った親ロシア独裁政権が、シリアのアサド政権でした。ロシアのプーチン政権が、全力でアサドを支援してきたからです。ロシアはシリアを失ったら、ロシア海軍がシリアの港を使用できなくなります。プーチンも必死なのです。

反アサド派も一枚岩ではなく、親米派、イスラム過激派（ＩＳ、ヌスラ戦線）、クルド人武装勢力に分かれて攻撃しあっています。大国のメンツのため内戦は泥沼化し、一般のシリア人は、毒ガスを含む無差別攻撃で多くの犠牲を出して難民化し、またパルミラの遺跡など貴重な文化財が破壊されました。

Q 謎の過激派集団ＩＳ（イスラム国）とは何だったのか？

アメリカがシリア内戦を煽った結果、さらにやっかいな事態へ発展していきます。イスラムの過激派組織ＩＳ（イスラム国）が出現したのです。

ＩＳの指導者バグダディは、イラクの出身です。イラク戦争時にはサダム・フセイン政権を支持して米軍と戦いましたが、政権崩壊後も反米武装ゲリラの指導者としてテロ攻撃を指揮しました。やがて、米軍に追われる形で旧フセイン政府軍兵士がシリアに流れ込み、バグダディはシリアとイラクを統合する「イスラム国」の自立と、「カリフ」就任を宣言したのです。

「カリフ」とは、イスラムの開祖、預言者ムハンマドの後継者を指し、スンナ派イスラム世界の最高指導者を意味します。しかしバグダディを「カリフ」と認めた国は、ＩＳ

以外にひとつもありません。「自称カリフ」、実態は武装ゲリラのボスだったのです。

ISは「英・仏が引いた国境線を取っ払って、統一イスラム国家をつくる」という理想を掲げて支配地を広げていきました。また、「コーランに記されたイスラム法を厳格に適用する」として、ISは捕虜にしたアサド政権軍兵士や外国人の首をナイフで斬るなど残酷な行為を繰り返し、世界の国々を震撼させました。

ISの出現は、さすがのアメリカも予想外でした。オバマ政権はISを野放しにしてアサド政権を弱体化させる――「毒をもって毒を制す」政策を取りました。しかしISの暴挙が目に余るものになってきたため、ISに対抗する別の武装組織を育てようとしたのです。それが、クルド人民兵でした。

Q なぜアメリカはクルド民族を支援したのか？

クルド人はトルコ、イラン、イラク、シリアの境に分布している民族で、人口3000万を擁しながら独立国家を持てずにいます。それぞれの国に対して、長い間独立運動を展開してきました。シリアに住むクルド人は「反アサド政権」の立場をとり、政府軍との戦いに加わりました。

クルド民族の宗教は、大きな括りではイスラム教のスンナ派ですが、スンナ派の中でも独特の宗派といえます。たとえば、女性の地位がすごく高く、女性が武器を取って戦います。総じて女性の地位が低いアラブの国々ではありえない話です。クルドの女性兵士が姿を現すと、ＩＳの男たちがクモの子を散らすように逃げるという話があります。「女に殺された男の魂は、天国に行けない」という迷信があるためです。対ＩＳ戦争において、クルド最強なのです。

こうして、クルド人VSＩＳVSアサド政府軍という三つどもえの激しいバトルが繰り広げられました。最終的にＩＳは崩壊し、アサド政権も大きなダメージを負いました。結果としてシリア内戦でいちばんの勝者となったのは、クルド人だったのです。

クルド人は当然、「アメリカに協力し、シリア内戦に勝利したのだから、クルド独立国家を認めてほしい」と、アメリカにラブコールを送ります。それに対し、オバマ政権もクルド独立承認に動くか、と思われました。ところがこれに対して猛然と異を唱えた国があります。シリアの北の隣国、トルコです。

Q

トルコとロシアが急接近している理由とは？

クルド人の最終目標は、トルコ・イラク・イラン・シリアの国境地帯にまたがる独立国家「クルディスタン」の建設です。このうち、イラク領クルディスタンについては、イラク戦争でサダム・フセイン政権が崩壊したあと、独自の議会と政府を持つことを認められ、２０１７年には住民投票で独立派が多数を占めました。しかし油田地帯を擁するこの地域の独立をイラク政府は認めず、紛争が続いています。

トルコ領クルディスタンについてはトルコ領土の3分の1に及び、トルコ共和国政府は、独立はもちろん自治も認めず、クルド人武装勢力との衝突が続いてきました。

シリア領クルディスタンでは、内戦でアサド政権の統治が及ばなくなり、クルド人武装勢力がＩＳとの戦いでアメリカ・オバマ政権の支援を受けるようになりました。

トルコの立場としては、「ＮＡＴＯにも加盟してアメリカのために尽くしてきたのに、なぜアメリカはトルコからの分離独立を企むクルド人を支援するのだ」という論理になります。アメリカの対応に怒ったトルコのエルドアン大統領は、アメリカと距離をとり、両国の関係は急速に冷え込んでしまいました。

こうした状況を見てほくそ笑んでいたのが、ロシアのプーチン大統領です。「アメリカに代わって助けてあげよう」とロシアがトルコに触手を伸ばしてきたのです。その真の目的は、トルコをNATOから脱退させ、ロシア側に寝返らせることです。

もしトルコがロシア側に寝返ったら、ロシア→トルコ→シリアがつながり、ロシア軍の自由通行が可能になります。これは、19世紀以来ずっとロシアの南下政策を止めてきた西側諸国の「防波堤」が決壊することを意味します。

Q トランプ政権は、なぜシリアから撤退したのか?

２０１７年にトランプ政権が発足すると、オバマ前政権の「アサド打倒、クルド支援、ＩＳは見て見ぬふり」方針を転換して、ロシア軍と協力して米軍をＩＳ攻撃に参加させ、壊滅的打撃を与えました。ＩＳが壊滅した以上、もはやクルド人に頼る必要もありません。２０１９年、トランプ政権はシリアに展開していた米軍も撤退させることを決めました。つまりトランプは、クルド人を使い捨てにしたのです。

米軍の撤収と入れ替わりに、トルコ軍が越境してシリア北部のクルド人の武装勢力と戦闘を開始しました。アメリカは「我関せず」とばかりに傍観を決め込みました。

図15　シリア内戦相関図

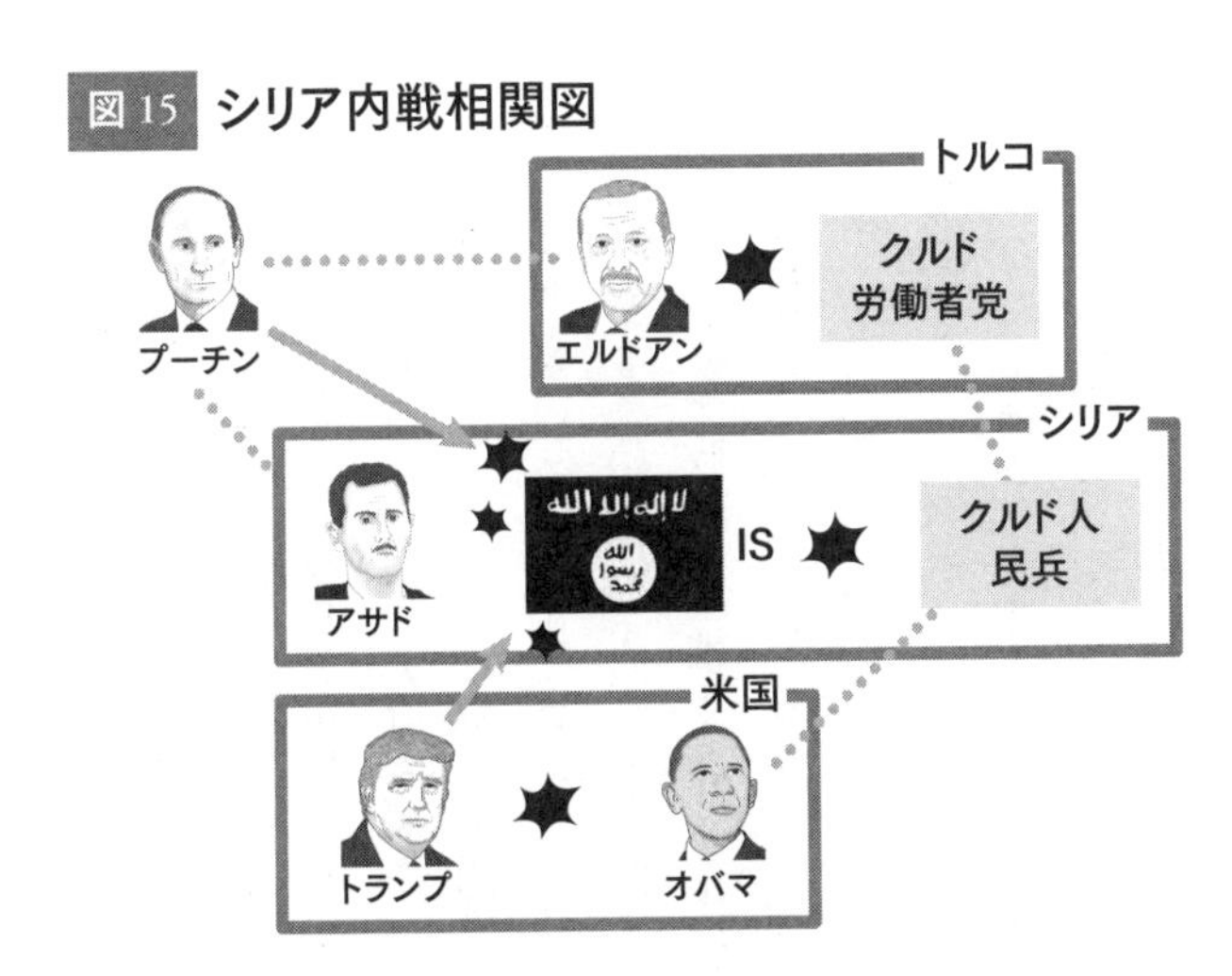

つまりトランプは、トルコ軍によるクルド人制圧を黙認することで、トルコとの関係を修復し、トルコをＮＡＴＯに引き止めたのです。クルド人は再び独立の機会を失いました。国際政治とはかくも過酷なもので、大国の利害関係でしか動かないことを、日本人も肝に銘じておくべきです。

世界史教科書には、「平和を求める国際世論が、〇〇和平を実現した」などと平然と書かれていますが、これでは歴史ではなくファンタジーです。

さて、トルコ軍による越境攻撃は、シリアに対する侵略行為ですから、トルコ軍とシリア政府軍も交戦状態になりました。こうした状態に気を揉んでいるのがロシアのプーチンです。ロシアにとって、「子分」であるシリアのアサド政権が崩壊したら困るため、これまで通りシリアを全力で支援しています。

一方で、プーチン大統領には、地中海進出のためトルコを味方につけたいという思惑があります。トルコとシリアが戦うことで、ロシアは板挟みの立場に陥りました。

では、実際にロシアはどんな対応をとったのでしょうか。

トルコの目もあるので、ロシア正規軍をシリアに派兵はできません。そこで、ロシアは傭兵を雇っているのです。ロシアには民間の傭兵会社があります。日本でいえば民間の警備員のような立場ですが、重火器を持ってシリア政府軍と一緒に戦っているのです。米軍がシリア政府軍基地をミサイル攻撃したとき、多数のロシア人が死傷しました。このとき犠牲になったのが、ロシア人傭兵だったようです。

プーチン大統領は、「民間人が勝手にトルコと戦っているだけで、ロシア政府はまったく関係ない」というスタンスです。

逆に、アメリカから見ると、トルコとシリアの関係悪化は望ましい状態です。軍事支援を必要とするトルコをNATOにつなぎとめられるからです。そうすれば、これまで通り、ロシアからの「防波堤」の役割をトルコに担わせることができます。

トランプはシリアから手を引いてしまったので、あとはロシア次第です。クルド人を犠牲にしたうえで、トルコとシリアが互いに妥協し、両国はロシアの影響下に入る、というシナリオが現実的かもしれません。

結局、いちばん苦しい立場に置かれているのが、クルド人です。長年の苦難からクルド難民は増える一方で、埼玉県にもクルド難民のコミュニティがあります。クルド人はいつまでたっても安住の地を得ることができないでいます。

シリアのアサド大統領のファミリーは、イスラム教のアラウィー派です。アラウィー派はシーア派から分かれた宗派なので基本的には親イランです。シリアは親ロシアであると同時に、親イランでもあります。したがって、イラン革命防衛隊もアサド政権に味方してクルド人と戦っています。イラン西部のクルド独立運動を警戒しているのは、いうまでもありません。

Q トランプ政権が、エルサレムをイスラエルの首都と認めた意味は？

２０１７年12月、アメリカのトランプ大統領はイスラエルの首都としてエルサレムを承認したのに続き、２０１９年3月、イスラエルが占領するシリア領ゴラン高原についても、イスラエルの主権を認める決定をしました。

これに対して、「トランプはあまりにイスラエル寄りだ」「アラブ諸国の反発で、中東は再び大混乱になる」といった批判的な論調の記事が多く見られました。しかし実際には、アラブ諸国の反応は静かで、混乱も起きませんでした。なぜなのでしょう。

キリスト教、ユダヤ教、イスラム教にとって聖地であるエルサレムは、パレスチナ人（アラブ人）とその領有をめぐってずっと揉めてきた場所です。イスラエルの建国直後に起こったパレスチナ戦争（１９４８年）の結果、西エルサレムをイスラエルが占領し、ここを首都としましたが、諸外国はここを係争地と見て首都とは認めず、各国大使館はテルアビブに置かれていました。しかしトランプは「西エルサレムの占領は、既成事実として認めるしかない」として、エルサレムに米大使館を移転したのです。

ゴラン高原は、１９６７年の第三次中東戦争で、イスラエルがシリアから奪い取った土地です。基本的にイスラエルは水資源が乏しい国で、死海へと注ぐヨルダン川は貴重な水資源です。そのヨルダン川の水源がゴラン高原にあります。ゴラン高原を押さえておけば、イスラエルは水に困らないというわけです。そのため、１９６７年の第三次中東戦争以来、イスラエル軍はゴラン高原に居座っています。

第三次中東戦争はイスラエルがシリアとエジプトに攻め込んだ侵略戦争ですから、当然国連はゴラン高原の占領を認めませんでした。イスラエル軍の撤退を求める決議もしていますが、イスラエル制裁案についてはアメリカが拒否権を発動したため実効性がなく、イスラエル軍は国連決議を無視して居座り続けてきたのです。

トランプ大統領はこの問題についても方針転換し、「ゴラン高原の占領も既成事実。これも認めましょう」と言い出したのです。

ゴラン高原を占領されているシリアは現在、内戦で国家が崩壊状態ですから、イスラエルと戦うことはできません。イスラエルにとっては、シリア内戦は絶好のチャンスだったのです。

西エルサレム問題とゴラン高原問題は、アメリカがパレスチナ側に対して、「もうあきらめろ」と引導を渡した結果になりました。当然、パレスチナ自治政府は激しく反発しましたが、他のアラブ諸国はほとんど反応しませんでした。

なぜなら、アラブ諸国にとって最大の敵はイスラエルではなく［X］であり、これに対抗するにはアメリカの支援が必要だからです。

Q　X に当てはまる国は、何でしょう？

①　中国
②　イラン
③　ロシア

正解は②のイラン。核開発と革命の輸出を進めるシーア派国家イランと、スンナ派のアラブ諸国との深刻な対立については、Q　イランはなぜ核開発にこだわるか？（226ページ）を参照してください。

なお、今回のアメリカの決定に対し、西欧諸国も日本も追随していません。「占領という既成事実を認めろ」というトランプ方式は、じつは重大な結果を招くからです。

トランプ方式を他の領土問題に当てはめれば、「2014年にロシアが併合したクリミア半島も、既成事実だからロシア領として認める」となり、「1945年にソ連軍が占領した北方四島も既成事実だからロシア領」「1951年に韓国が占領した竹島も、既成事実だから韓国領」となります。だからこそ各国は、ゴラン高原やエルサレムの問題でアメリカに追随するわけにはいかないのです。

Q カルロス・ゴーンが潜伏しているレバノンとは、どんな国か？

２０１９年の暮れ、金融商品取引法違反などの容疑で起訴された日産自動車の元会長カルロス・ゴーンが日本から密出国し、中東のレバノンに逃亡する事件が起きました。一躍、注目を浴びることになったレバノンとは、どんな国でしょうか。

ベイルートを首都とするレバノンは、北と東はシリアと、南はイスラエルと隣接し、西は地中海に面している小国です。

ローマ帝国時代、キリスト教がいち早く普及していましたが、7世紀にイスラム教徒がこの地を支配するようになると、一部のキリスト教徒が山深い地に隠れて信仰を守り続けました。ゴラン高原の北、レバノンの中央を南北に走るレバノン山脈は標高３００0メートル級の険しい山々が連なり、隠れ住むにはちょうどよかったのです。

この、江戸時代の隠れキリシタンのような人たちのことを「マロン派キリスト教徒」と呼びます。4～5世紀に活動したマロンという名の修道士に由来しています。

イスラム支配下で、マロン派の存在は忘れ去られていました。

しかし、11世紀、ここレバノンの地にキリスト教徒の大群が到来します。十字軍です。

西ヨーロッパのカトリック諸国が、聖地エルサレムをイスラム教徒から奪還することを名目に派遣した大遠征軍です。

マロン派の人たちは、クリスチャンの軍勢がやってきたことを大いに喜び、「何かお手伝いしましょう」と申し出ました。十字軍はこれからエルサレムに攻め込むところだったので、マロン派の人たちは道案内を買ってでます。

その後、十字軍はしばらくレバノンの地を占領し、マロン派の人たちはずいぶん可愛がられました。しかし、イスラム教徒から見れば、マロン派は侵略者の手先となったわけです。十字軍が撤退した後、マロン派は再びイスラム教徒に迫害され、山に籠って耐え忍ぶ生活に甘んじることになりました。

Q レバノンで内戦が起きた理由とは?

約1000年後の20世紀、オスマン帝国の支配下にあったレバノンに、今度はフランス軍がやってきました。英・仏の密約、サイクス・ピコ協定により、シリアとレバノンをフランスが植民地にしたのです。

フランス軍が入ってくると、マロン派キリスト教徒はこれを歓迎し、今度はフランスに協力しました。そのおかげで、フランス植民地政府の高官にどんどん取り立てられていったのです。

その後、１９４３年にレバノンはシリアと分離独立を果たします。同じフランスの統治下にあったシリアはイスラム教なので、シリアと一緒になるとレバノンのキリスト教徒は、また迫害されるおそれがあります。そこで、「キリスト教徒の国をつくりたい」と要求し、認められたのがレバノンです。まさにフランスがつくったような国なのです。

当時のレバノンは、人口の６割くらいがキリスト教徒で、残りがイスラム教徒でした。大統領など政治の主要ポストは、キリスト教マロン派が押さえる一方で、イスラム教徒にも閣僚のポストを割り当てました。大統領はキリスト教徒、首相はイスラム教徒といった具合です。

このようなキリスト教徒とイスラム教徒の連合政府によって、１９５０年代までのレバノンは、かろうじてバランスを保っていました。フランスからの投資も多く、首都のベイルートは「中東のパリ」と呼ばれるほど発展しました。地中海に面していたこともあり、ホテルがたくさん建ち並び、人気の行楽地になりました。

このバランスを崩したのが、イスラエルとアラブ諸国との中東戦争です。

とくに1967年にイスラエルが圧勝した第三次中東戦争では、大量のパレスチナ難民が発生し、北の隣国レバノンに流れこんできたのです。難民はイスラム教徒ですから、難民が流入すればするほど、レバノン国内のイスラム教徒の比率が高くなっていきます。こうして、キリスト教徒とイスラム教徒の人口比が逆転してしまったのです。

にもかかわらず、相変わらず政府の主流派はキリスト教徒で、大統領もすべてキリスト教徒でした。それに対してイスラム教徒の間で不満が高まり、マロン派キリスト教徒と、イスラム教徒の間で内戦が起こってしまいました。これが1975年から1990年にかけて断続的に続いた「レバノン内戦」です。「中東のパリ」ベイルートは見るも無残に破壊され、外資は引き揚げ、国民は貧困に喘ぐようになりました。貧困が憎悪を生み、双方の武装勢力が虐殺事件を引き起こすという悪循環が続きました。

内戦後もマロン派が政府の要職を占めてはいますが、国勢調査さえきちんとできない状態が続いています。実施するとキリスト教徒が少数派だとばれてしまうからです。

Q ゴーンはなぜレバノンに逃亡したのか?

カルロス・ゴーンは、実はフランス人ではなく、レバノンのアラブ人です。ゴーンの家系は、マロン派キリスト教徒なのです。

彼が逃亡先としてレバノンのベイルートを選んだのは、彼の祖国だからです。もともとレバノン人は商売上手で、カネになるネタを探して世界を旅するのが得意でした。その点、ユダヤ人と似ています。19世紀、レバノンから中南米に移住してビジネスに従事する人が多く、カルロス・ゴーンの祖父もブラジルの奥地を開拓し、ゴム園の経営で大成功を収めました。カルロスは1954年にブラジルで生まれ、中等教育は父の母国であるレバノンのベイルートで受けました。国籍はレバノンで、フランス語で育ったのです。

ゴーンは自伝の中で「祖父は偉かった」「母はすてきな人だった」と称えていますが、なぜか父親はまったく登場しません。

近年、その真相があきらかになりました。父は殺人事件を起こしていたのです。レバノンで密輸をしていて、仲間割れから人を殺してしまったそうです。殺されたのはマロン派の神父でした。神父といっても密輸をしていたろくでもない人物ですが、ゴーンの父は殺人罪で逮捕され、投獄されていたのです。

ところが父は刑務所から脱獄します。なぜ脱獄できたかというと、レバノン内戦が起きて、刑務所も襲撃されたからです。刑期未了のまま脱獄した父は、そのままブラジルに逃亡したそうです。息子のカルロスとしてはあまり語りたくない話です。

カルロスはフランス語が堪能だったので、フランスの大学を出て、そのままフランスの大手自動車メーカーであるルノーに就職、抜群の業績を上げてルノー・日産のトップの座を射止めました。

事実上、フランスの国営企業であるルノーは、日産を買収してその高い技術を獲得するために、ゴーンを送り込んだといわれています。日産が経営不振にあえいでいたとき、ゴーンは経営合理化という名のもと、すさまじいリストラを断行し、その結果として、日産はV字回復を遂げました。

ルノーはそのまま日産を吸収合併する計画でした。それに対して、日産の経営陣が抵抗し、ゴーン会長と衝突する事態に。その結果、日産の経営陣がゴーン排除に動いて、これまでゴーン会長がやってきた不正の数々（会社のカネを私財に流用していたなど）をバラしました。ゴーン逮捕をめぐる攻防は、一種の社内クーデタだったという見方が妥当といえます。

ゴーンは逮捕後、保釈されましたが、自家用ジェット機でレバノンに逃亡しました。

脱走したがるのも、ゴーン家の「血統」なのかもしれません。

Q デフォルトの危機に見舞われたレバノンの現状とは？

ゴーンは、「世界のルノー」の会長を務めた人物ですから、祖国レバノンでは英雄です。逃亡後に大統領も面会したほどで、決して無下には扱えない存在です。

一方、レバノンは内戦がずっと続いていたこともあって、国土は荒れ果てて、観光業も崩壊し、２０２０年にデフォルト（債務不履行）を起こしています。経済もどん底といえます。

レバノン政府としては、経済を再建したい。そのために、政府の中には産油国サウジアラビアと関係を太くして投資を呼び込み、経済を立て直そうと計画しているグループがいます。あるいは、ルノーのような多国籍企業を優遇して、支援を得ようと画策する動きもあります。

しかし、経済再建の道は平坦ではありません。状況を複雑にしているのは、隣国シリアの存在です。

レバノンが内戦で混乱していた１９７６年、シリアはレバノンに侵攻しました。もともとレバノンはシリア地方の一部だった歴史的背景もあり、シリアはレバノンは自分たちの土地だと考えています。

シリアの軍事介入の結果、レバノン国内でマロン派キリスト教徒のグループと、シリアと手を結ぶイスラム教徒のグループの対立が激化しました。

レバノンに逃げ込んだパレスチナ難民もシリアとイランの軍事援助を受けて、シーア派過激派組織「ヒズボラ」を結成しました。「神の党」という意味です。ヒズボラはレバノン南部を拠点とし、イスラエルに対するロケット砲攻撃を繰り返しています。

このように内戦後のレバノンでは、マロン派キリスト教徒、親サウジ派、親シリア派、親イラン派が入り交じり、政治家も派閥抗争に明け暮れてきました。そのため、長らく経済再建の機会を得ることができなかったのです。

2019年、財源確保の名目でレバノン政府が「スマホ向け無料通話アプリWhatsAppに課税する」と発表しました。これに対する民衆の怒りが爆発し、大規模な反政府デモが発生。サウジ派のハリリ首相が退陣に追い込まれました。貧しいレバノン人の目には、腐敗しきった政治家が多国籍企業と手を組んで増税を企んでいる、と映ったのです。

一部の富裕層や多国籍企業に対する怒りが渦巻く中、レバノンの民衆はカルロス・ゴーンにも怒りの感情を抱いています。日本の検察がレバノン政府にゴーンの身柄引き渡しを要求すると、レバノン民衆は「当然だ」という反応を見せました。

ゴーンは今もレバノンの豪邸に住んでいますが、国内政治の情勢次第では安泰とは言い切れません。「ゴーンの資産を没収して、レバノン経済を救うために使うべきだ」という声があがってもおかしくない状況です。日本で服役していたほうが安全だった、と後悔する日が来るかもしれません。

Q 米軍撤収で、アフガニスタンの和平は実現するのか？

2020年2月、アメリカは、アフガニスタンの反政府武装勢力との和平合意に署名し、アフガニスタンに駐留する米軍部隊の撤退を開始しました。今、アフガニスタンで何が起きているのでしょうか。

Q　アフガニスタンの反政府武装勢力とは、どの組織のことを指すのでしょうか？

①　アルカイダ

②　タリバーン
③　IS（イスラム国）

答えは②のタリバーン。

これらは、国際ニュースに詳しい人でもしばしば混同します。ここで整理しておきましょう。

じつはアフガニスタンの情勢は、先述したイラン革命の副産物でした。アフガニスタンは、国境を接するロシアの革命の影響をもろに受け、米ソ冷戦中の70年代に、親ソ派が国王を追放して社会主義政権を樹立しました。

マルクス主義は唯物論ですから宗教を否定します。アフガニスタンでも脱イスラム化が進み、コーラン教育は禁止され、モスクは破壊されました。当然、イスラム教徒は社会主義を「無神論」として嫌悪し、政権に激しく反発します。

1979年にイラン革命が起こると、アフガニスタンでもイスラム教徒が武装蜂起し、社会主義政権VSイスラム・ゲリラ勢力の内戦が勃発しました。

1979年、ソ連のブレジネフ政権は、アフガニスタンの社会主義政権を支えるために軍事侵攻を開始します。これが「ソ連のアフガニスタン侵攻」です。ソ連軍に追われる形で、アフガニスタンの難民たちは隣国のパキスタンに逃れました。

親米政権で、イスラム教国であるパキスタンは、同じイスラム教徒が苦しんでいることを看過できず、難民キャンプをたくさんつくり、住居や食料を提供しました。また、内戦で親を亡くした子供たちには教育を施したのです。

ただし、パキスタンは熱心なイスラム教国ですから、子供たちにはコーランを徹底的に叩き込んだのです。

「君たちのお父さんやお母さんは共産主義者に殺された。アッラーのために戦ったから、魂は天国に導かれた。君たちも武器を取って、共産主義者と戦う聖戦士になれ」と。

純粋無垢な難民の子供たちは、素直に従い、立派な戦士として成長していきました。

このようにアフガニスタンとパキスタンの国境にできたイスラム神学校の生徒たちのことを、アラビア語で「タリバーン」と呼びます（英語の students）。現在、アフガニスタンを支配している武装組織タリバーンは、イスラム神学校で軍事的あるいは神学的に教育・訓練された生徒をルーツとしているのです。

アフガニスタン侵攻の当時、アフガニスタンではさまざまな武装勢力がソ連と戦っていましたが、私利私欲に走り、国民の支持を失っていました。略奪をせず、賄賂も受け取らなかったのがタリバーンで、貧しいアフガニスタン人の心をつかんだのです。その結果、他の軍事勢力を次々と倒し、さらにはソ連軍を国内から追い払うことに成功しました。ついにタリバーンは、アフガニスタンを武力統一したのです。

「アッラーの他に神はなし。ムハンマドはアッラーの使徒なり」というイスラム教の教えに従い、彼らは純粋なイスラム国家をつくることを目指しました。近代的な法体系を廃止してイスラム法に戻しました。飲酒を禁じ、女性にはブルカという頭をすっぽり覆う民族衣装を強制し、コーランが禁ずる「偶像崇拝」を厳禁しました。

もともと古代のアフガニスタンは仏教国として有名で、仏教遺跡がたくさん存在していました。最も有名なのは、バーミヤンにあった1500年も前に彫られた巨大な仏像です。世界遺産にも登録されている歴史的価値のある仏像でした。しかし、タリバーンは、「偶像崇拝はコーランの教えに反する」という理由で、ダイナマイトで爆破してしまったのです。国立博物館にも世界遺産級のガンダーラ美術の仏像がたくさん展示されていたのですが、タリバーンの兵士がハンマーですべて破壊してしまったのです。

Q タリバーンとアルカイダの関係とは？

アフガニスタンといえば、忘れてはいけない人物がいます。アルカイダのウサマ・ビン・ラーディン。米国政府が、９・11同時多発テロの首謀者と認定した人物です。

ビン・ラーディンは、もともとサウジアラビア出身です。ソ連のアフガニスタン侵攻の際にイスラム勢力に加勢するために、義勇兵としてアフガニスタンに入国しました。そして、タリバーンなどと一緒にソ連と戦ったのです。

ビン・ラーディンの父親は、サウジアラビア最大のゼネコン財閥の創始者で、彼はいわゆる〝お坊ちゃま〟でした。超がつくほどの大富豪だったので、ビン・ラーディンはその潤沢な資金をソ連との戦いにつぎ込みました。

当時アメリカはレーガン政権でしたが、米ソ冷戦の最中だったので、ソ連と戦うビン・ラーディンを支援し、大量の武器も提供しました。

アメリカなどの支援もあってソ連軍を追い払ったビン・ラーディンは、アフガニスタンを基地として、「世界イスラム革命を始める」と宣言しました。「アルカイダ」とは、「基地（ベース）」を意味するアラビア語なのです。

アルカイダがアフガニスタンを拠点にしていたため、アルカイダとタリバーンの2つをごっちゃにしている人がいますが、まったく別の組織です。

先述したように、タリバーンは地元アフガニスタンの神学校の生徒たちがつくった、土着の武装勢力です。タリバーンはアフガニスタンでしか活動していません。

一方、アルカイダは、アフガニスタンを基地にしつつ、世界イスラム革命を実行しようとしている国際テロ組織で、メンバーの多くはサウジアラビアの出身です。

もちろん、両者は協力関係にあります。タリバーンからすると、ビン・ラーディンはアフガニスタン侵攻のときに助けにきてくれた恩人です。したがって、手厚く彼を扱っていました。例の9・11の米国同時多発テロが起き、アメリカ政府が主犯と断定したビン・ラーディンを名指しして「アメリカに引き渡せ」と脅しをかけたときも、タリバーン政権は彼をかくまい続け、米軍のアフガニスタン侵攻を招きました。

Q アメリカとタリバーンの和平交渉が成立したのはなぜ?

タリバーンがビン・ラーディンを保護した結果起きたのが、米軍のアフガニスタン侵攻です。

アメリカのジョージ・W・ブッシュ大統領（ブッシュ・ジュニア）が、「テロリストをかくまうアフガニスタンはテロ国家だ」と主張し、空爆と地上軍投入を命令しました。今度は、米英軍VSタリバーンの戦争が口火を切られたのです。

兵器の面では圧倒的にアメリカが優勢で、結果としてアフガニスタン領土の8～9割は米軍が占領しました。そして、米軍はタリバーンに替わる親米政権を擁立し、カルザイという人物を大統領に据えました。彼はアメリカ留学の経験があり、英語もペラペラです。こうしてアメリカの傀儡政権が樹立され、アフガニスタン紛争も終焉を迎えたかと思われましたが、じつはまだ本当の意味での決着はついていませんでした。

タリバーンは、もともと山岳地帯を拠点に始まった組織で、アメリカ軍に国土の大半を占領されたあとも、山岳地帯にこもって抵抗したのです。しかも、隣国のパキスタンが密かに支援していたので、さすがの米軍も根絶できませんでした。ビン・ラーディンもタリバーンやパキスタンの支援を受けて潜伏生活を続けていたのです。

オバマ政権の時代に、とうとうビン・ラーディンの居場所が発覚します。やはりパキスタンでした。隠れ家を知っている内通者がアメリカに情報を売ったのです。それを受けて、米軍の特殊部隊がヘリで隠れ家に降りたち、ビン・ラーディンを射殺しました。

ホワイトハウスではその模様がすべて生中継されていて、オバマ政権の面々が見守る中で、ビン・ラーディンは処刑されたのです。

ところが、ビン・ラーディンは倒れても、タリバーンはしぶとく生き残りました。ついにオバマ政権ではタリバーンの問題は片づかず、トランプ政権に持ち越されました。

トランプ大統領は「米軍はもう、余計な戦争には関わらない」という明確な方針の持ち主です。「どうしてアフガニスタンのために米兵が死なないといけないのか」と言い出し、カルザイ政権の頭越しに、さっさとタリバーンとの和平交渉を始めたのです。

2020年3月、コロナ禍の中でアメリカ大統領とタリバーンの指導者が初めて電話会談し、和平交渉がまとまりました。

和平交渉の中身は、簡単にいうと、米軍の撤退です。これは、アフガニスタンの親米政権がアメリカに見捨てられたことを意味します。

20年続いてきたアフガニスタン紛争は、タリバーンの圧勝で幕を閉じようとしています。この和平交渉の結果、遅かれ早かれアフガニスタンは再びタリバーンの国家となるのですから。親米政権は、米軍が駐留しているから成り立っていたようなもので、米軍が撤退したら国を統治する力をもっていません。タリバーンに政権の座を明け渡す以外に選択肢はないのです。

アメリカは歴史上、今回のアフガニスタンにかぎらず、冷酷でドライな判断を繰り返しています。ベトナム戦争でも、最後は南ベトナム親米政権を見捨てましたし、最近では先述したようにシリア内戦でクルド人を見捨てました。散々かき乱しておいて、うまくいかなくなったら退散する。これがアメリカという国です。「在日米軍があるから日本は大丈夫」、などと呑気なことをいっている日本の親米派の方々、アメリカが世界でやってきたことをよく見てください。

Q 米軍撤退後、勢力図はどう変化するか?

米軍の撤退によって、アフガニスタンをめぐる勢力図はどう変わるのでしょうか。アメリカが手を引いたからといって、隣国のイラン、あるいはロシアが、この地域で影響力を強めることはないでしょう。

タリバーンは、イスラム教スンナ派の過激派組織です。唯一タリバーンと関係のよい国が、スンナ派の盟主であるサウジアラビアで、隣国のシーア派国家イランは敵です。「イスラム過激派」で同じに見えますが、タリバーンはスンナ派の過激派、イラン革命防衛隊はシーア派の過激派、天敵同士なのです。

さらに、タリバーンはもともとソ連軍の侵略に対抗するためにできた組織ですから、「反ロシア」です。したがって、イランともロシアとも組むことはないでしょう。とくにロシア人にとって、アフガニスタンは大変なトラウマとなっています。アフガン侵攻を実行したのをきっかけに、ソ連が崩壊したようなものですから。

大国ソ連が10年間、莫大な軍事費と兵力を投入したにもかかわらず、小国アフガニスタンに勝てず、体制そのものが崩壊してしまったのです。ベトナム戦争の帰還兵が、精神を病んでアメリカで社会問題になったように、アフガン帰還兵がロシアにはたくさんいて、同じような問題を起こしています。ロシアは「二度とアフガニスタンには手を突っ込みたくない」というのが本音でしょう。

アフガニスタンは、「帝国の墓場」といわれています。アフガニスタンに触手を伸ばした国はみんな滅んでいきます。

大英帝国時代のイギリスはインドを植民地にした勢いで、アフガニスタンにも侵攻しました。19世紀から20世紀初頭にかけて3度にわたってアフガニスタンと戦い、１８７9年に保護国化しましたが、１９１9年にアフガニスタンの反撃に遭い、撤収しました。

イギリスがしかけたアジアの戦争で唯一敗れたのがアフガニスタンでした。

ソ連もアフガン侵攻からつまずいて崩壊し、アメリカもアフガニスタン紛争ですっかり疲弊し、かつての世界の警察官の地位は崩れ去ろうとしています。もうどこの国もアフガニスタンとは関わりたくないと思っているはずです。

アフガニスタンは米軍撤退とともに、新しくスタートを切ることになりますが、その道のりは決して明るくありません。もともと内陸の貧しい土地で、産業は麻薬ぐらいですから、経済発展は望めないというのが現実です。２０１９年12月、アフガニスタンの貧困問題に取り組んでいた日本人医師の中村哲さんが殺害されるという痛ましい事件も起きています。しかし、アフガニスタンの運命はアフガン人自身が決めることで、もう大国が関わるべきではないと私は思います。

Q　ＩＳの脅威は消えたのか？

アフガニスタン紛争が終わったからといって、テロリストとの戦いが終わったわけではありません。衰えたとはいえ、アルカイダもＩＳも、活動を続けています。

たしかにＩＳはシリアから掃討され、ニュースになるようなテロ事件もだいぶ少なくなりました。2019年10月には、ISの最高指導者バグダディもシリア北西部で米軍に捕捉され、包囲されたところで自爆しました。

しかし、ISはもともと、かっちりとした組織ではないのです。シリアのISにはバグダディという指導者がいましたが、ネットでメンバーの勧誘を行い、それに従って各地の過激派が勝手にテロを引き起こし、ISが声明を出せば、「ISの犯行」となるのです。いわば〝フランチャイズ〟のような国際テロ組織なのです。そういう意味では、今後もISがこの世から消えることはありません。

近年、とくに危険視されているのは東南アジアです。インドネシアで活動しているイスラム過激派組織ジェマ・イスラミアは、ISと一体化しています。2002年、欧米人が集まる観光地のバリ島で爆弾テロを引き起こし、200人以上を殺害した組織です。バングラデシュや、フィリピン南部のミンダナオ島でも、イスラム過激派による爆弾テロや攻撃が頻発し、日本人も標的になっていますので注意が必要です。

Q サウジのプリンス「MBS」とは何者か？

近年、国際関係のニュースでサウジアラビアの王子、ムハンマド・ビン・サルマンの名前を見かけることが増えました。

２０２０年5月現在、父親のサルマン国王は健在ですが、高齢で認知症を患っているため、息子であるムハンマド王子が政治の実権を握っています。かなりのイケメンで、まるで映画スターのようなオーラを醸し出しています。ちなみに、名前の「ビン」は「○○の息子」をあらわす言葉で、「サルマンの息子」を意味し、ムハンマドが個人名です。MBSという略称で呼ばれています。

じつをいうと、彼が政治の表舞台に出てくるようになってから、サウジアラビアは暴走気味です。

きっかけは、これもアメリカのオバマ政権でした。理想主義であるオバマ大統領は、イランとの争いは回避し、経済制裁をやめることを決断しました。のちにトランプ大統領が批判し、離脱することになる２０１６年の「イラン核合意」です。

「聖地メッカとメディナの守護者」としてスンナ派の盟主を自任するサウジアラビアにとって、「異端」であるシーア派のイランは敵です。そのイランの核武装をオバマが容認したのです。だから、「アメリカは頼りにならないので、これからサウジアラビアは我が道を行く」と決めました。この判断を下したのがMBSなのです。

ＭＢＳはサウジアラビアを「脱石油」へ導こうと、さまざまな施策を打っています。サウジアラビアの国家財政はほぼ石油の輸出に依存していますが、石油がいつまで出るかわからないうえに、つねに石油価格の下落というリスクにさらされているからです。

ＭＢＳはまた、開明的な政策も立て続けに実施しています。たとえば、サウジアラビアでは女性の地位がきわめて低く、女性を抑圧する慣習が数多く残っています。肌や髪の露出を防ぐアバヤの着用が義務付けられていたり、世界で女性の運転が唯一禁じられたりしていました。彼はそういった古くさい伝統や制限を緩めているのです。

一方で、汚職の摘発にも力を入れています。サウード王家の独裁政権であるサウジアラビアには、腐敗や汚職がはびこっています。ＭＢＳにも腹違いの兄弟やいとこの王子が何十人もいるのですが、親族の汚職も見逃さず、どんどん粛清しています。「汚職撲滅」の名を借りて、独裁の強化を図っているという意味では、中国の習近平に似ているかもしれません。

先述した２０１６年のシーア派宗教指導者ニムル師の処刑もＭＢＳの命令だと噂されています。また、イエメンの反体制武装勢力フーシ派に対して空爆を命ずるなど、対イラン強硬派であることもよく知られています。

しかし、独裁を強化すれば、その分、反発も起きます。ＭＢＳの名が一躍世界に知られるようになった出来事に、カショギ事件があります。サウジアラビア政権を批判する記事を書いていたトルコ系のジャーナリストが殺された事件です。

カショギさんは、祖父がサウジの初代国王の主治医だった関係から、サウード王家ともコネクションをもっていました。つまり政権内部の取材ができる立場だったのです。米国で学位をとり、ソ連のアフガン侵攻を取材、ビン・ラーディンのインタビューにも成功しました。カショギさん自身は米国流の自由主義者で、イスラム過激派にも保守的なサウジ王室にも批判的な記事を書いていました。

事件は、２０１８年10月、トルコにあるサウジアラビア総領事館内で起きました。カショギさんはトルコ人婚約者とともに、結婚届を提出するために総領事館を訪ねたのですが、一人で建物に入っていったカショギさんは、いつまでたっても戻ってこない。心配した婚約者が通報すると、トルコ警察も、これはただ事ではないと捜査を始めました。

やがてトルコ政府が総領事館内を盗聴した録音を根拠に、「カショギさんはサウジアラビアの領事館の中で殺された」という衝撃的な発表をしたのです。

しかも、切り刻んだ遺体をバッグに詰めて、サウジアラビアに運んだというおぞましい情報も出てくるなど、事件は世界中から注目されることになりました。

問題は、誰が殺害を命令したのか、ということです。

当然、サウジの実力者ＭＢＳの指示ではないかという疑惑が生じました。カショギさんが、サウード王家の内部抗争の記事を欧米メディアに書いていたからです。ＭＢＳがこれに不快感を抱き、彼の明示的な指示があったかどうかはともかく、実行部隊がカショギさんを殺害したのではないか、と。

しかし証拠がありません。もちろんＭＢＳは「知らない」の一点張りです。

仮に、ＭＢＳはカショギさんの口封じを望んでいたとしても、交通事故に見せかけて殺してしまうなど、目立たぬ方法がいくらでもあったはず。防犯カメラの映像という証拠の残る大使館で待ち伏せして殺害する、などというお粗末な計画を、ＭＢＳが指示したとは考えにくいのです。むしろＭＢＳの失脚を狙うサウジ国内の勢力が、事件を引き起こした可能性もあります。結局、この事件は犯行グループの5人の処刑で終焉を迎えました。暴走気味のＭＢＳ。中東の未来を占ううえでも、今後も目が離せない人物といえます。

Q 石油価格が史上初めてマイナスになったのはなぜか？

近年、原油価格は低下する傾向にありましたが、とうとう2020年4月、ニューヨークの原油先物（WTI）価格が史上初めてマイナスを記録しました。産油国はお金を払って、原油を引き取ってもらうという異常事態です。

なぜ、このような事態が生じたのでしょうか。

答えは単純で、じつは近年、世界の原油生産量の国別シェアに大きな変化が見られました。新しい原油大国が誕生したからです。

Q　その国とは、いったいどこでしょうか？

A　サウジアラビア
B　ロシア
C　アメリカ

答えはアメリカです。いまや世界一の石油生産国となっています。ちなみに、2位がロシア、３位がサウジアラビアです。

アメリカの生産量が爆発的に伸びた要因は、シェールガスの採掘です。シェールガスとは、頁（けつ）岩といわれる堆積岩の層から採取される天然ガスのこと。当初は採掘コストが高くついていましたが、技術革新などの結果、十分に採算がとれるようになり、生産量も急増したのです。

近年、世界の石油生産量は供給過多の傾向にありましたが、追い打ちをかけたのが米中貿易戦争と、新型コロナウイルスのパンデミックです。リーマン・ショック以来の世界経済危機の中で、いちばんの石油消費国である中国は、米国による輸入規制とコロナショックのダブルパンチで消費が冷え込み、石油がだぶついている状態となりました。

そこで、ＯＰＥＣ（石油輸出国機構）は原油を減産して、原油価格を引き上げようとしました。ところが、原油市場でシェアを落としているサウジアラビアが猛反対。他の国が石油を減産しているすきに、逆にサウジアラビアは増産して、石油シェアを奪い返そうと考えたのです。これもムハンマド王子（ＭＢＳ）の戦略です。コロナ危機を逆手にとって、アメリカに食われた石油市場を取り戻そうとしているのです。

なりふり構わぬＭＢＳの戦略は、短期的には産油国ロシアへのダメージとなり、長期的には米国の利害とも衝突することになるでしょう。オバマがイラン急接近の代償に破壊したサウジとの信頼関係を、トランプが修復しているわけですが、そのうち米国政権内でも「サウジとの関係も見直そう」という声が出てくるかもしれません。

Q サウジアラビアが核兵器を持つ可能性はあるか？

もしサウジアラビアがアメリカから見捨てられたら、どうなってしまうでしょうか。スンナ派のサウジアラビアにとって、いちばんの敵はシーア派のイランです。イランが核武装を進めていることは、サウジアラビアにとって死活問題です。

しかし、サウジアラビアは核をつくろうと思っても、肝心の技術がありません。武器はすべてアメリカから購入しているからです。

それなら、核をどこからか調達するしかありません。同じイスラム教スンナ派の国で核を持っている国がひとつだけあります。

パキスタンです。

パキスタン軍部はインドの脅威に対抗するため、同盟国アメリカの制止を振り切って核武装しました（１９９８年）。

その一方で、パキスタン南西部のバルチスタン州はイラン系の住民が多く、パキスタンからの分離独立を要求しています。パキスタンとイランも潜在的には敵であり、今後、パキスタンがサウジアラビアと接近してイラン包囲網を形成する過程で、石油とバーターでサウジアラビアの核武装に手を貸す可能性もあります。

核保有国が増えれば、核戦争の危険が高まると考える人が多いかもしれません。しかし、じつは逆で、ライバル関係の国がともに核兵器を持つと、相手国の反撃を怒れて、互いにミサイルを発射できなくなります。これを「核抑止力」といいます。冷戦期に、アメリカとソ連と中国が、あれほど罵り合っても核戦争に至らなかったのは、3国とも核兵器を所有していたからです。

そういう意味で、サウジアラビアが核を持てば、中東は安定するという説もあります。核兵器開発を進めるイランとのパワーバランスが保たれるので、口では罵り合いながらも、互いに甚大な被害が出るとわかっているから、絶対に核ボタンは押せないという状況です。

この話を東アジアに当てはめると、この地域がいちばん安定する方法もおのずと見えてきます。ロシア、中国、北朝鮮が、すでに核保有国です。この3国の間では、核抑止力が働いています。この状況下で日本だけが核武装しない、ということは、日本を攻撃しても核で反撃させることはない、ということを意味します。これは逆に、戦争を誘発するでしょう。

すぐに核武装しろ、といっているのではありません。国民感情からして難しいでしょうし、核実験をどこでやるのか、という問題もあります。核武装を禁じた核拡散防止条約（NPT）から脱退しなければならず、ウランの輸入も困難になります。

もっと簡単な方法があります。日本が「非核三原則」を捨てることです。そして、核武装するかどうかについては、「ノーコメント」を貫く。これは、イスラエルがとっている「核のあいまい政策」というものです。周辺アラブ諸国は、イスラエルが核武装していると確信しています。だから、イスラエルには攻撃をしかけない。周りを敵国に囲まれても、イスラエルは安泰なのです。同盟国が、海の向こうのアメリカしかない、という点で、イスラエルと日本は地政学的によく似た状況なのです。

おわりに

本書は、新型コロナウイルスCOVID－19の流行が猛威をふるっていた2020年3月、リモート回線を通じてSB新書編集部と私がつながり、約9時間にわたってインタビューを受けた内容をベースとし、同年10月の脱稿までに起こった出来事を、加筆していったものです。

SB新書編集部の坂口惣一様、インタビュー原稿を取りまとめてくださったライターの高橋一喜様に、御礼申し上げます。

「世界史から国際ニュースを考える」というコンセプトの本は、『ニュースの〝なぜ？〟は世界史に学べ』（2015）、『ニュースの〝なぜ？〟は世界史に学べ2』（2017）に続く3冊目となります。

この5年間に、私の情報収集の方法も一変しました。新聞というものをまったく読まなくなり、テレビ契約は解除しました。スマホ1台で、事足りるからです。

都心に巨大なビルを建て、大きなスタジオを作り、巨大スポンサーから広告料金をもらい、スポンサーに忖度しつつ、芸人さんを雛壇に並べてワイワイガヤガヤ、当たりさわりのない番組制作を行い、肝心なことは何も伝えず、視聴者を痴呆状態におき、消費行動を喚起するというビジネス・モデルは、もはや完全に崩壊しました。

トランプがツイッターで模範を示してくれましたが、政治家もスマホで情報配信があたり前となり、今後は記者会見も必要なくなるでしょう。記者クラブという制度もいらなくなり、いつでも、どこでも、誰でも情報発信できるという、夢のような時代がきたのです。

このサイバー空間を、20世紀的な強権システムでコントロールしようとしている国もあります。しかし、彼らは敗北するでしょう。水をハンマーで叩いても、無駄なことです。水はハンマーを徐々に腐食させ、使い物にならなくするでしょう。

時代の変化は不可逆的なのです。

2020年10月

茂木　誠

著者略歴

茂木 誠（もぎ・まこと）

歴史系YouTuber、著述家、予備校講師。

駿台予備学校、ネット配信のN予備校で世界史を担当し、iPadを駆使した独自の視覚的授業が好評。

世界史の受験参考書のほか一般向けの著書に、『経済は世界史から学べ！』（ダイヤモンド社）、『世界史で学べ！ 地政学』（祥伝社）、『ニュースのなぜ？は世界史に学べ』シリーズ（SB新書）、『超日本史』(KADOKAWA)、『日本人が知るべき東アジアの地政学』（悟空出版）、『「戦争と平和」の世界史』(TAC)、『米中激突の地政学』（WAC出版）など。

YouTubeもぎせかチャンネルで時事問題について発信中。

連絡先：mogiseka.com

SB新書　526

テレビが伝えない国際ニュースの真相

バイオ・サイバー戦争と米英の逆襲

2020年11月15日　初版第1刷発行
2021年 1 月30日　初版第4刷発行

著　者　茂木 誠

発行者　小川 淳
発行所　SBクリエイティブ株式会社
〒106-0032　東京都港区六本木2-4-5
電話：03-5549-1201（営業部）

装　幀　長坂勇司（nagasaka design）
本文DTP　荒木香樹
本文デザイン　荒井雅美（トモエキコウ）
図版制作　荒井雅美（トモエキコウ）
地図制作　斉藤義弘（周地社）
編集協力　高橋一喜
編集担当　坂口惣一
印刷・製本　大日本印刷株式会社

本書をお読みになったご意見・ご感想を下記URL、
または左記QRコードよりお寄せください。

https://isbn2.sbcr.jp/06244/

落丁本、乱丁本は小社営業部にてお取り替えいたします。定価はカバーに記載されております。本書の内容に関するご質問等は、小社学芸書籍編集部まで必ず書面にてご連絡いただきますようお願いいたします。

ISBN 978-4-8156-0624-4

ニュースの“なぜ？”は世界史に学べ

日本人が知らない100の疑問

茂木 誠

定価：本体価格800円＋税　ISBN 978-4-7973-8240-2
2015年12月5日　SBクリエイティブ

久米宏氏、推薦のベストセラー！　ニュース番組や新聞をなんとなく見ているだけではニュースの「本質」をつかむことはできない。国際ニュースを見て疑問に思うであろう100のポイントを取り上げ、世界史とからめて解説する斬新な１冊。